De kinder kamer

Ideeën om zelf te maken

Colofon

Hoofdredactie Brigitte Speekman
Artdirector Anna-Christina de Wit
Marketingmanager Anita de Beijl
Beeldredactie Gieke van Lon
Vormgeving Nicole van den Broek,
Nelleke Roos, Eline Verburg
Beeldbewerking Marcel van Dugteren
Projectredacteur Sanne Ribbers
Tekstredactie Francisca Draad,
Nelleke Roos
Eindredactie Adelheid van Rossum
Beschrijvingen Jacqueline Pruntel,
Adelheid van Rossum
Illustraties Wendy Denissen

Styling
Sonja Balfoort, Inès Beeftink, Nicole van
den Broek, Wilma Custers, Barbara
Groen, Linda van der Ham, Tineke
Holtrop, José Martens, Maartje
Mastboom, Esther de Munnik,
Evelien Nuijten, Inge Pouw, Reini Smit,
Moniek Visser, Marie-Gon Vos,
Valerie van der Werff

Fotografie
Alexander van Berge, Mirjam Bleeker,
Henk Brandsen, Dennis Brandsma, Bart
Brussee, Dana, fotolemaire.nl, Renée
Frinking, Luuk Geertsen,
Jan-Paul Jongepier/Studio 5982,
Pauline Joosten, Brigitte Kroone,
Peter Kooijman, Anna de Leeuw,
Eric van Lokven, Hans Zeegers

Ontwerp/receptuur
Joeke Beenhakker, Gitteke Boschma,
Marlies Does, Marieke de Geus, Heleen
Klopper, Maartje van der Lei, Gieke van
Lon, Maartje Mastboom, Ingmar
Niezen, Christel Rienks, Mirjam van der
Rijst, Annalinda Wagenaar

Verder werkten mee
Inge van Andel, Paul Blom, Janna Does,
Kim de Graaf, Sophie van der Kamp,
Meta Poulain, Corrie van Roon,
Astrid Trügg, Mariska Zwiers

Uitgever Johan Keurentjes a.i.
Druk DZS grafik, Slovenië

Sanoma Uitgevers B.V.
Postbus 1722
2130 JC Hoofddorp
023-556 44 55
e-mail: redactie@ariadneathome.nl
© ariadne at Home, Nederland 2008

Meer informatie?
www.ariadneathome.nl

Postbus 1909, 2130 JK Hoofddorp

Inhoud

104 ideeën

De kinderkamer is veel meer dan een plek voor kinderen om te slapen en waar de kledingkast staat. Het is een eigen wereld, een plek waar kinderen zichzelf kunnen zijn. De kinderkamer van nu is een volwaardig ingerichte ruimte; met vrolijke wanden, mooie vloeren en veel persoonlijke accenten. In dit boek vind je 104 zelfmaakideeën waarmee je de kinderkamer een eigen gevoel geeft. De ideeën zijn gekozen door de redactie van het woonblad ariadne at Home. Laat je inspireren! En meteen beginnen kan, want achter elk hoofdstuk zijn de beschrijvingen verzameld.

Hoofdstuk 1
Dieren

XXL knuffeldier

Lief, zacht en supergroot

Tekening wordt knuffel

Geslaagde samenwerking tussen moeder en kind!

Levensgroot

Een beer op de muur

Oogjes dicht
Snaveltjes toe

Lapjeskat met vriendjes

Een dierenparade op de plank

Knutselen met kranten

Papier-maché beesten fleuren de kamer op

Jippie-a-jee!

Stokpaard voor cowboys in de dop

Kinderpoef

Vrolijk versierd met dierenprint

Mooi opgeruimd!

Kinderkast met gordijn

Sierstickers

Een makkelijk alternatief
voor decoreren met verf

XXL knuffeldier

Zet hem op zijn flinke bips en je peuter kan helemaal tegen hem aankruipen, zo groot is dit grappige knuffelbeest. Hij meet van neus tot staart ongeveer één meter, van teen tot teen 90 cm. Je kunt hem maken van witte teddystof. Het lijf is gevuld met piepschuimbolletjes, de poten en kop met zachte vulling.

Dit heb je nodig

2.20 m teddystof K9011, 150 cm breed (De Witte Engel); rits van 55 cm; patroontekenpapier met ruitjes van 4x4 cm; fiberfill; bolletjesvulling; voor het binnenkussen: katoen en rits van 55 cm.

Zo maak je het XXL knuffeldier

Maak de patronen (pagina 176, 1 hokje is 4x4 cm) op maat. Neem ook de tekens over. Knip de patronen uit papier: 8x de poot, waarvan 4x in spiegelbeeld, 4x het oor, waarvan 2x in spiegelbeeld, 2x zijkant kop, waarvan 1x in spiegelbeeld, 1x middenstuk kop, 2x onderkant knuffel, waarvan 1x in spiegelbeeld, 2x bovenkant knuffel, waarvan 1x in spiegelbeeld. Leg alle patronen op de teddystof en knip ze uit met rondom 1 cm naad. Knip bovendien voor de staart 1 reep van 10x35 cm. Knip het patroon van het oor nog 2x na uit 2 lagen fiberfill.

In elkaar zetten

Leg de 2 lagen fiberfill voor het oor op 2 delen oor en stik ze langs de ronding op elkaar. Keer en stik ze langs de ronding door.
Stik het middenstuk kop tussen de zijkanten kop, houd de tekens op elkaar en stik tegelijkertijd in de naden de oren stevig vast. Stik doorgaand de ondernaad van de kop.
Stik 4x 2 poten op elkaar. Keer ze. Vul de poten en kop stevig op met fiberfill en stik de opening dicht. Houd bij de kop de ondernaad in het midden.
Vouw de reep voor de staart dubbel met de goede kant binnen en stik de lange kant met 1 cm naad dicht. Keer hem en knip een uiteinde in 4 brede 'rafels'.
Stik de onderkant-rits van de onderkant knuffel, met de rits. Stik de bovenkant van de bovenkant knuffel tot het teken. Stik de boven- en onderkant knuffel op elkaar, stik tegelijkertijd de poten, de kop en staart vast.

Het binnenkussen

Knip de onder- en bovenkant knuffel elk 2x uit katoen, waarvan 1x in spiegelbeeld. Stik de delen met de rits in elkaar zoals bij de knuffel, maar stik de rits tussen de bovenkantdelen en zonder poten, kop en staart. Keer deze vorm en vul hem op. Plaats het binnenkussen in de knuffel.

Tekening wordt knuffel

De kindertekening is overgenomen op lichtblauw kalkpapier dat is beplakt met een lintje en om een vel stevig wit papier is gevouwen. De knuffel is gemaakt van wolvilt en stippenstof; lijfje en hoofd zijn twee keer uitgeknipt, aan elkaar gestikt met de voetjes en handjes (een keer uit vilt geknipt) ertussenuit. Het lijfje en hoofd zijn opgevuld, de ogen en mond zijn erop geplakt met textiellijm.

Dit heb je nodig
Papier (Vlieger); lint (Van de Kerkhof); wolvilt lichtblauw nr. 53, donkerblauw nr. 51, 1 mm dik (Wernekinck Wolvilt); stippenstof 140 cm breed (de markt).

Grote beer

Deze afbeelding kun je met behulp van een tracer, een soort projector, op de muur aanbrengen. Je projecteert de gewenste afbeelding, bijvoorbeeld uit een kleurboek, vergroot op de muur. De lijnen trek je lichtjes over met een dun zacht potlood en schilder je daarna met witte dekkende hobbyverf.

Dit heb je nodig
Tracer (Van Beek Art Supplies); dekkende hobbyverf in wit (Talens).

TIP Behang is op dit moment verkrijgbaar met de mooiste wandvullende afbeeldingen. Kijk bijvoorbeeld eens op www.eijffinger.com voor Wallpower mini, hier vind je afbeeldingen voor kinderen van 1 tot 12 jaar.

Dekbedhoes met uil

We wilden volwassen kleuren met kinderkleuren combineren en hebben daarvoor een gewoon dekbedovertrek verkleind tot een kindermaatje. Strijk vliesofix achter op de stoffen voor de uil waardoor deze steviger worden en niet gaan rafelen. Neem het patroon van de uil (pagina 177, 1 hokje is 4x4 cm) over op de verschillende stoffen en knip ze uit. Strijk de uil op het dekbedovertrek en stik de contouren door met de zigzagsteek.

Dit heb je nodig
Emilia rund dekbed (Ikea); vliesofix (= dubbelzijdig plakvlieseline, Ant. Schröder); bedrukte stoffen in roze Peaweed Cerise, turkoois Peaweed Turquoise, bruin Peaweed Cocoa, alle stoffen 137 cm breed, van Designers Guild (Wilhelmine van Aerssen Agenturen).

Lapjeskat met vriendjes

Een hele verzameling knuffels die allemaal van twee verschillende stoffen zijn gemaakt die qua kleur wel bij elkaar passen. Om mee te knuffelen, mee te slapen en mee te nemen als ze gaan logeren. Ze zijn 30 tot 40 cm breed.

Dit heb je nodig
Bedrukte kussenslopen roze en blauw, tafelkleed met borduurwerk (Laura Dols); roze ruitjesstof (A. Boeken Stoffen en Fournituren); turkoois ruitjesstof 6288-1 van Treehouse (Eijffinger); kussenvulling (Jan de grote Kleinvakman).

Zo maak je de lapjeskat met vriendjes
Kopieer de dieren (pagina 176) op de gewenste grootte en knip ze uit. Leg per dier 2 lapjes stof met de goede kanten op elkaar. Speld het patroon erop en stik de lagen vlak langs het patroon op elkaar, maar laat aan de onderkant een stukje open. Verwijder het patroon en knip de stof tot 1 cm buiten de stiklijn weg. Knip de naad bij binnenhoeken en rondingen tot vlak voor het stiksel in en bij buitenhoeken schuin weg. Keer het kussen met de goede kant buiten en vul het dier op tot de gewenste dikte. Naai de opening dicht.

> **TIP** Gebruik voor de lapjeskat en vriendjes favoriete stofjes, bijvoorbeeld van een kinderjurkje, of zoals wij hebben gedaan, een tafelkleed en oude kussenslopen.

Papier-maché beesten

Niet echt om mee te knuffelen, want daarvoor zijn ze iets te kwetsbaar. Maar zet deze papier-maché beesten op een veilige plek en ze vrolijken de hele kamer op. De teckel en haas bestaan uit ballonnen in verschillende vormen en maten die je beplakt met repen krantenpapier. Na het drogen verf je ze niet-dekkend met witte hobbyverf.

Dit heb je nodig
Ballonnen in verschillende vormen en maten; schilderstape; karton en rietje; behangplaksel; oude kranten; witte hobbyverf (Pipoos).

Zo maak je de teckel
Kijk ook goed naar de foto. De poten zijn 2x 2 kleine ronde ballonnetjes. Voor het lijf is een langwerpige ballon gekozen. Zet de pootjes aan de onderkant van het lijf vast met tape. Knip een reep karton voor de hals, maak er een ring van en knip aan beide kanten rondom tot 1 cm om de cm in. Vouw deze stukjes naar buiten en bevestig de hals met tape tussen het lijf en de kop (een ronde ballon). Voor de snuit van de hond vouw/draai je een stuk karton tot een 'puntzak'. Knip de open kant gelijk en plak hem vast op de kop. Knip uit karton 2 ovale oren en plak ze aan de kop. Gebruik voor de staart een rietje. Knip een

uiteinde een paar keer in, vouw deze stukjes naar buiten en plak de staart met tape vast op de hond.

Zo maak je de haas

Kijk ook goed naar de foto. De poten onder aan het lijf zijn 2 bolletjes. Maak ze met stukjes karton, net zoals de hals bij de teckel, onder aan het lijf. Maak onder het lijf een 'halsje', zodat de haas mooi rechtop blijft staan. Voor het lijf en de kop zijn ronde ballonnen gekozen. Zet ze aan elkaar net zoals de hals bij de teckel. Bevestig aan het lijf ook 2 pootjes van kleine ronde ballonnetjes. Doe dit ook als de hals bij de teckel. Knip uit karton 2 lange ovale oren en plak ze op de kop.

Papier-maché

Maak behangplaksel aan. Scheur wat kranten in kleine stukjes. Haal de stukjes krant door het plaksel en plak ze op het beest. Laat tussendoor drogen en breng zo ongeveer 3 lagen aan. Alles goed laten drogen. Verf de beesten niet-dekkend wit met verdunde witte verf. De oren van de haas zullen misschien slap gaan hangen, maar met een paar onzichtbare draadjes omhoog (bijvoor-

beeld naar het plafond) zullen ze weer omhoog staan.

Stokpaard

Cowboyhoed op, laarzen aan, spring op je paard en verken de wereld! Deze is gemaakt van hout, een stok én een 'wieltje'. Maak 'm zo lief of stoer als je zelf wilt.

Afmetingen hoofd 32x41 cm

Dit heb je nodig

2 steigerplanken met een dikte van 3 cm; bijpassende deuvels; een stok met een doorsnede van 2½ cm en een lengte van 102 cm; houten schijf met een doorsnede van 10 cm en 12 mm dik; patroontekenpapier met ruitjes van 4x4 cm; decoupeerzaag; boormachine; turkoois en gestreept (keper)band; witte siernagels (Praxis); breigaren Boston in de kleuren Natur 02 en Sand 03 (Coats Benelux); witte acrylverf; houtlijm.

Zo maak je het stokpaard

Bevestig de 2 planken aan elkaar met houtlijm en

deuvels, zodat een brede plank ontstaat. Maak met behulp van de schematekening (pagina 177, 1 hokje is 4x4 cm) het hoofd op ware grootte. Knip het hoofd uit en teken hem op het hout om. Zaag de contour uit. Boor voor het oog een gat met een doorsnede van 2 cm. Boor voor de manen vóór het oor 5 kleine gaten en na het oor 9 kleine gaten. Boor in de onderkant een gat voor de stok, 2 cm diep en doorsnede van 2½ cm. Zaag uit de onderkant van de stok een gleuf met de dikte van de houten schijf en net zo hoog als de doorsnede ervan. Schuur de randen glad.
Lijm de schijf in de gleuf vast. Verf het hoofd en de stok transparant wit met verdunde acrylverf. Laat de verf drogen. Lijm turkoois

> **TIP 1** In plaats van steigerplanken kun je ook vuren of grenen meubelplaat gebruiken, is bovendien ook lichter. Pas de dikte van de stok aan de dikte van de meubelplaat aan.
> **TIP 2** Vervang het vaste 'wieltje' door 2 echte wieltjes aan weerskanten van de stok.

band als halster om het hoofd en plaats het gestreepte band als teugel met siernagels erop. Knip voor de manen draden wol van ± 30 cm lang voor bovenop en van ± 65 cm lang voor het achterhoofd. Haal de draden per bosje door de gaten van het hoofd en knoop ze bovenop vast. Lijm de stok in het gat aan de onderkant van het hoofd.

Kinderpoef

Om op te zitten, te stapelen, achter elkaar te zetten als een trein: met deze poefjes doe je je kinderen vast een plezier. Ze zijn gemaakt van schuimrubber blokken die je bekleedt met stof. De naden zijn aan de buitenkant met een stoere festonsteek met splijtgaren dichtgenaaid. De applicaties teken je over op de stof, je knipt ze uit en naait ze met een kleine steek en

splijtgaren op een zijkant van de poef.

Afmetingen 35x35x35 cm

Dit heb je nodig
Per poefje: 1.50 m donkerbruin, bruin of naturelkleurig linnen New Irish Linen CH 1288/120, 637 of 001, 144 cm breed (Chivasso); resten stof voor de applicatie; ecrukleurig en donkerbruin splijtgaren van Anchor (Coats Benelux); schuimrubber blok van 35x35x35 cm (ABC Schuimplastichuis); patroontekenpapier met ruitjes van 2x2 cm.

Zo maak je de kinderpoef
Teken op patroontekenpapier of direct op de linnen stof een kruisvorm als volgt: teken 4 vierkanten van 35x35 cm boven op elkaar (tegen elkaar aan) en teken bij het tweede blok van boven aan weerskanten 1 vierkant van 35x35 cm. Knip de vorm met rondom 3 cm naad uit het linnen.

Applicaties
Maak met behulp van de schematekening (pagina 177, 1 hokje is 2x2 cm) het gewenste motief op ware grootte. Knip het dier uit stof na met rondom ½ cm naad. Appliqueer de vlinder, eekhoorn of het konijn met een inslag op de kruisvorm (op het tweede vierkant van boven). Maak met een

volle draad splijtgaren overhandse steken. Gebruik bij de naturelkleurige stof het donkerbruine splijtgaren.

In elkaar zetten
Stik met 1 cm naad de kruisvorm tot een kubus in elkaar; houd hierbij de goede kanten op elkaar en laat de onderkant (= het onderste vierkant van het kruis) los. Knip de naad bij de binnenhoekjes schuin tot vlak voor het stiksel in. Keer de hoes en maak langs de naden grote festonsteken (pagina 182, vouw hiervoor de beide lagen stof plat op elkaar) met een volle draad splijtgaren (zelfde kleur als bij de applicatie). Maak de festonsteken ongeveer 1½ cm hoog en breed. Schuif het schuimrubber blok in de hoes en naai tot slot de laatste kanten met festonsteken dicht, zoals de andere zijden van de poef.

> **TIP** Liever een ander dier dan een vlinder, konijn of eekhoorn als applicatie? Achter in het boek, vanaf pagina 176, vind je nog meer tekeningen van dieren die je kunt gebruiken.

Kinderkast met gordijn

Het is misschien minder voor de hand liggend om een televisiekast voor de kinderkamer te gebruiken, maar deze hoekkast biedt een zee aan opbergruimte, en dat komt altijd van pas. Er is een douchestang in gehangen met een gordijn en voor de kinderkleertjes is er nog een aparte stang gemaakt.

Dit heb je nodig

1.80 m transparante stof met bedrukte stippen Visillo Globos, 300 cm breed, uit de Arcos Iris collectie (KA International); 0.90 m roze-wit geruite katoen, 140 cm breed (A. Boeken Stoffen en Fournituren); vliesofix (= dubbelzijdig plakvlieseline, Ant. Schröder); 7.20 m lichtturkoois satijnlint van 3½ cm breed (Jan de grote Kleinvakman); wit en turkoois naaimachinegaren; hoekkast Hensvik (Ikea); douchestang.

Zo maak je de gordijnen

Knip voor de gordijnen uit de stof 2 lappen van 80x176 cm. Werk eerst de zijkanten af met het satijnlint. Stik het op de achterkant van de stof, plaats het 1 cm van de rafelkant. Vouw daarna het lint naar de voorkant om de naad om en stik vlak langs de kant op de voorkant vast (aan de achterkant is 1 cm lint zichtbaar en aan de voorkant 2½ cm). Stik in de bovenkant van het gordijn een zoom van 7 cm breed met 7 cm inslag, maar laat de uiteinden open, zodat een tunnel ontstaat. Stik in de onderkant een zoom van 3½ cm breed met 3½ cm inslag.

Applicatie

Kopieer de giraffe (pagina 176) op de gewenste grootte (de kleine giraffe is op de foto 31 cm hoog en de grote 88 cm). Knip ze uit en knip ze zonder naad uit met vliesofix beplakte geruite stof. Knip een kleine giraffe schuin van draad uit de stof. Strijk de giraffes op de gewenste plaats op de gordijnen vast. Appliqueer ze met een brede, dicht opeenliggende zigzagsteek en turkoois garen op het gordijn. Bevestig de gordijnen met een douchestang in de kast.

Sierstickers

Voor babybedjes, peuterstoelen en kinderkasten: met interieurstickers voorzie je ze van een sprookjesachtige decoratie. De stickers zijn te koop in diverse maten en kleuren en ook te gebruiken op de muur, vloer en het raam.

Dit heb je nodig

Stickers Bird, afmetingen 63,6x58 cm, Bambi, afmetingen 58x64,9 cm, meisje met vlinders, 25 cm hoog (Studio Haikje).

• Hemel boven de wieg • Kleurenkast • Babyslofjes

• Dierenparade op badcape • Badbakjes

• Babykamer in naturel • Beddengoed • Bewaarkastjes

Hoofdstuk 2
De babykamer

Baby romantiek

Een mooie hemel boven de wieg

Kleurenkast

De commode versierd
met behang en verf

Babyslofjes

Van vilt, dus lekker warm en zacht

Dierenparade

Vrolijk accent: geborduurde dieren op een badcape

Badbakjes

Bodylotion, zachte doekjes; alles binnen handbereik

Alles naturel

Zacht maar niet zoet

doekjes

01

02

luiers

Heb ik mijn beertje? Waar is mijn konijn?
Ik kan alleen slapen   Als ze bij me zijn

En nu... lekker slapen
Beddengoed met rijm en
slaapplaats voor de knuffels

Bewaarkastjes

Prominente plek voor bijzonder kinderbezit

Hoofdstuk 2
De babykamer

Hemel boven de wieg

Met een losse standaard kun je heel gemakkelijk zelf een mooi hemeltje maken voor boven de wieg. Een hemel maakt de wereld van je baby knus en klein, en dat vinden ze vaak fijn. Hier hebben we een hemel gebruikt met een rechte bovenkant.
Het hemeltje bestaat uit twee stoffen: linnen en voile. Aan de onderkant is de brede zoom opgevuld met volumevlies, zodat de hemel mooi op de grond valt.
Over de linnen hemel is een voile glasgordijn gehangen.

Deze stof is wat ruimer geknipt zodat ze aan de voorzijde iets uitsteekt.

Afmetingen 55 cm diep en 190 cm hoog

Dit heb je nodig
Standaard voor hemel (Prénatal); 2.20 m linnen, 140 cm breed (Eijffinger); 3.20 m voile stof Juliette art.nr. 13163, kleur 030, 100% poly-ester, 285 cm hoog (Christian Fischbacher); plooiband Jazz van Bandex, stofverbruik 1:3, volume-vlies (Ant. Schröder).

Zo maak je de hemel
Knip uit het linnen 2 lappen van 59x217,5 cm. Knip uit het volumevlies voor het vullen van de zoom enkele lagen van 12x55 cm.
Knip uit de voile stof 1 lap van 320x172 cm, de afge-werkte schulpjesrand komt aan de voorkant van het hemeltje.

In elkaar zetten linnen deel
Stik de bovenkanten (korte kanten) van de 2 linnen lap-pen aan elkaar, stik met

3,5 cm naad. Stik de lange naad vanaf de bovenkant dicht met 2 cm naad tot op de wieg (dit is ongeveer 2/3 deel). Stik doorgaand in de 2 lappen een zoom van 1 cm breed met 1 cm inslag. Stik in de voorkant van deze hemel een zoom van 1 cm breed met 1 cm inslag. Stik in de bovenkant een tunnel van 2,5 cm breed, vanaf de voorkant tot halverwege de bovenkant.
Stik in de onderkanten zomen van 12 cm breed met 12 cm inslag en leg hierin enkele lagen volumevlies. Stik de zijkanten van de zomen ook dicht.
Schuif de linnen hemel over de standaard, schuif de horizontale stang in de tunnel bovenin.

In elkaar zetten voile deel
Stik aan weerskanten van het midden van de lap 2 stukken plooiband van 165 cm. Begin op 2 cm vanaf de rafelkant en stop op 5 cm voor de afgewerkte kant. Vouw de voile dubbel

met het plooiband aan de buitenkant en bij de vouw. Stik de lange naad aan de achterkant met 2 cm naad op elkaar. Leg aan de voorkant een knoop in de koordjes van het plooiband, trek de koordjes aan en leg er een knoop in. Knip het te veel aan koordjes af. Hang het voile deel over het linnen deel.

Kleurenkast

De ladefronten en opzetrand van deze commode zijn beplakt met overschilderbaar behang en daarna geschilderd in verschillende kleuren muurverf.

Dit heb je nodig

Vinylbehang nr. 19038 van Graham & Brown, met reliëf medaillonprint (Gamma, Karwei); vinyltextiellijm, geschikt om behang mee op hout te plakken (Phoenix); muurverf in de kleuren lichtblauw Marrakesh 2095, zachtgroen Java 3055, beige Monaco 6075, wit Monaco 2075, alle uit collectie Couleur Locale (Flexa).

Babyslofjes

Deze slofjes zijn gemaakt van vilt, ze hebben een lief hartje van gaatjes op de wreef en een lint als veterstrik, in dezelfde kleur als het zooltje. Om te maken voor je eigen baby, of om cadeau te doen.

Zoollengte 12 cm

Dit heb je nodig

Een lapje wolvilt wit nr. 56, 20x30 cm en 1 mm dik, een lapje wolvilt blauw nr. 58, 20x30 cm en 2 mm dik (Wernekinck Wolvilt); wit garen Duet (Coats Benelux); 70 cm geruit lint van 1 cm breed (Van de Kerkhof); holpijpje of gaatjestang.

Zo maak je de slofjes

Teken de patroontjes (pagina 177, 1 hokje is 1x1 cm) op ware grootte.
Knip de deeltjes uit. Knip het zooltje met rondom ½ cm naad 2x uit blauw vilt. Knip het bovendeeltje 2x met alleen ½ cm naad aan de ronde voorkant uit wit vilt. Knip het hieldeeltje 4x met ½ cm naad aan de middenachterkant en ½ cm naad aan de onderkant uit wit vilt. Geef op de bovendeeltjes de stippen voor de hartjes aan (druk ze met een dunne viltstift door). Maak de gaatjes met een holpijpje of gaatjestang. Stik met ½ cm naad 2x 2 hieldeeltjes met de middenachterkanten aan elkaar. Vouw de naad open en stik hem plat door er zigzagsteken over te maken. Stik met een zigzagsteek een bovendeeltje op elk zooltje; maak de steken iets van de kant.
Stik daarna de hieldeeltjes aan de zooltjes; laat ze de bovendeeltjes overlappen en houd de middenachternaad aan de buitenkant. Maak de gaatjes in de voorkant van de hieldeeltjes. Knip het lint in 2 gelijke delen, haal ze door de gaatjes en strik de slofjes dicht.

Dierenparade op badcape

Een vlinder, olifant, zee-paardje, libel, dolfijn en paard; de hele dierentuin komt voorbij op deze bad-stoffen badcape. De dieren zijn op de cape én het was-handje geborduurd in kruissteek (pagina 182) in frisse, eigentijdse kleuren.

Dit heb je nodig
Anchor splijtgaren in de kleuren: zachtblauw nr. 160, rood nr. 29, licht-bruin nr. 378, oranjegeel nr. 303, badcape, washand (Coats Benelux).

Kijk voor teltekeningen op pagina 178.

TIP De landelijke bad-bakjes zijn óók handig in de babykamer (boven de commode bijvoor-beeld), kinderkamer (voor speelgoed) en de hal (sjaals en mutsen).

Badbakjes

Op de wandsteunen geen planken, maar landelijke mangelbakken. Schilder ze in een mooie kleur, en zet ze los op de steunen. Zo kun je de bakken makkelijk mee-nemen naar de badkamer.

Dit heb je nodig
Steunen (bouwmarkt); mangelbak-ken (Timzowood); acrylverf Couleur Locale wit Monaco 2575 (Flexa).

Babykamer in naturel

Weet je niet of je een jon-gen of een meisje krijgt,

dan kun je heel goed voor een naturelkleurige baby-kamer kiezen. Als je dat wilt, kun je er later met accessoires alsnog een meisjes- of jongenskamer van maken. De wieg heeft een subtiel kantmotief op hoofd- en voeteneind.

TIP Decoratietip met snel resultaat: plak stickers op de muur. Kant-en-klaar te koop in oneindig veel vormen en kleuren. Kijk eens op www.haikje.nl en www.cutitout.nl.

Beddengoed

Waarom moeilijk doen als het ook makkelijk kan? Een kant-en-klare deken kreeg een opgestikte zak voor knuffels en op het laken sjabloneerden we een lief rijmpje, bedacht door ariadne at Home.

Beschrijvingen

Zo maak je de babydeken

Knip aan de onderkant van het dekentje een strook van 21 cm hoog af. Vouw aan de onderkant van het dekentje 1 cm stof naar achter om en maak met een draad witte wol over de zoom festonsteken (pagina 182) van 1 cm groot. Knip van de afgeknipte strook voor de zak een stuk van 21x50 cm. Vouw aan de onderkant (= de niet-afgebiesde kant) en de zijkanten 1 cm naad naar achter om. Speld de zak op het dekentje; plaats hem in het midden en 43 cm vanaf de bovenkant. Zet de zak met een draad wol en 1 cm grote festonsteken vast. Verdeel de zak in 3 kleinere zakken van 16 cm breed door middel van grote rijgsteken met de wollen draad.

Zo maak je het lakentje

Stik op de goede kant van het lakentje langs de bovenkant het kanten bandje met een inslag aan de uiteinden vast.

Gesjabloneerde tekst

Tamponneer de tekst met behulp van de sjabloon op het lakentje; plaats hem ongeveer 10 cm vanaf de bovenkant. De tekst is ± 6 cm hoog en 35 cm breed. Let op: na het omvouwen van het lakentje moet de tekst leesbaar zijn.

Houd tijdens het tamponneren de kwast goed recht op en zorg dat de haren niet onder de sjabloon komen. Schenk de verf op een schoteltje.

Je krijgt het beste resultaat als er weinig verf aan de kwast zit. Doop hiervoor de kwast niet te diep in de verf en dep hem op een stuk papier af, zodat te veel verf wordt verwijderd.

Teken eventueel licht met een (textiel)potlood 2 rechte lijnen op het lakentje of maak rijglijnen, zodat je deze lijn als leidraad kunt gebruiken en de tekst mooi recht op de lijnen komen. Probeer het sjabloneren eventueel eerst uit op papier. Je kunt beter meerdere dunne laagjes verf aanbrengen dan één dikke. Fixeer de verf volgens de gebruiksaanwijzing op de verpakking.

Bewaarkastjes

Elk gevuld met een dierbaar kleinood vormen deze vitrinekistjes een persoonlijke wandversiering. Verwijder de achterwand van elk kistje. Snijd een stuk karton dat iets kleiner is, bekleed dit met fiberfill en vervolgens met stof die je aan de achterkant vastzet met dubbelzijdig tape. Prik op het beklede karton het voorwerp en plaats het geheel in het kastje en zet de achterwand terug op zijn plaats.

Hoofdstuk 3
Behang

Zoete woorden

Lief gedichtje op de muur

Heb ik mijn beertje?
Waar is mijn konijn?
Ik kan alleen slapen
Als ze bij me zijn

JONAS

Plakwerkje
Uilen van behang,
letters van karton

Flower power

Kamerscherm met dieren van behang

Binnenboom

Met wapperende blaadjes en takken vol speelgoed

Origami-mobile

Kraanvogels om lang naar te kijken

Een eigen plek

Huisje van retrobehang

Hoofdstuk 3
Behang

Gedicht op de muur

Zo'n lief rijmpje kun je uit de losse hand op de muur schilderen, maar je hebt dan wel een vaste hand nodig.
Makkelijker is het om een rijm te schrijven op de computer in een sierlijke letter, en die (in delen) te printen op een A4-stickervel. Snijd de letters uit. Teken dunne hulplijntjes op de wand en plak de losse letters op. Verwijder de dunne lijntjes. Sjabloneren kan ook, gebruik dan het stickervel als sjabloon, nadat je de letters nauwkeurig eruit hebt gesneden.

Dit heb je nodig
A4-stickervellen (kantoorboekhandel).

Kamerscherm

Groot kamerscherm voor in de speelkamer, of om de speelhoek af te schermen van de slaapplek. Er zit een gat in voor een speels effect dat als poppenkast gebruikt kan worden. Het scherm is beplakt met dieren van behang. De tapijtstippen geven de ruimte een extra speels effect.

Dit heb je nodig
4 mdf-panelen van 50x200 cm en 15 mm dik (bouwmarkt); Paumelles-scharnieren (ijzerhandel); acryl

zijdeglans verf in zachtroze A0.10.70 (Flexa); olifant van behang, 114x130 cm, aap van behang, 50x100 cm (Inke).

Zo maak je het kamerscherm
Maak de panelen met scharnieren aan elkaar vast. Tussen twee panelen is een cirkel uitgezaagd met een doorsnede van 40 cm. Schilder de panelen zachtroze. Plak de dieren erop.

Plakwerkje

Op de muur hebben we twee uilen en een boomstronk van behang aangebracht. Daarnaast hebben we de naam van deze kamerbewoner uit karton gesneden en erbij geplakt. Zo heeft Jonas een eigen speelhoekje.

Dit heb je nodig
Uilen en boomstronk (Inke).

Binnenboom

Deze boom van behang is een spectaculaire wandversiering. Bevestig er hier en daar haakjes in en je kind heeft de leukste opbergwand ter wereld.

Hoogte 180 cm, breedte 100 cm

Dit heb je nodig
1 rol gestreept behang Brocante 42348 (Voca); behangplaksel en behangborstel; dubbelzijdig tape; haakjes; patroontekenpapier met ruitjes van 4x4 cm.

Zo maak je de binnenboom
Teken de boom (pagina 179, 1 hokje is 4x4 cm) op ware

grootte na op het ruitjespapier, neem ook de stippellijn over (is het midden van de boom). Knip het patroon uit en over de stippellijn in 2 delen. Knip de 2 delen na uit het behang. Knip ook nog ongeveer 13 losse blaadjes uit het behang. Lijm de boom op de muur; plak de losse blaadjes naar eigen inzicht met dubbelzijdig tape vast. Plaats de haakjes op een aantal takken in de muur.

Origami-mobile

Vouw zo veel kraanvogels als je wilt, afhankelijk van de grootte van de ring. Gebruik verschillende Japanse vouwpapiertjes voor een vrolijk effect. Maak een gaatje in de bovenkant van de rug en rijg er een nylondraad door waarmee je ze aan de ring kunt hangen. De ring is ook beplakt met stroken vouwblaadjes.

Dit heb je nodig
Vouwblaadjes ('t Japanse Winkeltje); ring, nylondraad (Jan de grote Kleinvakman).

Kijk op www.origamivouwen.nl hoe je een kraanvogel vouwt.

Huisje van retrobehang

Met twee retrobehangetjes creëer je een vrolijke wanddecoratie. Kijk op de site www.debontekamer.nl voor leuke dessins.

Zo maak je de eigen plek
Het huisje bestaat uit 3 banen behang, die voor het plakken al in de juiste vorm zijn geknipt.
Voor het dak knip je 2 banen van 20 cm breed. Met de houten laatjes (Ikea) maak je er een leuke opberg-, werk- en knutselplek van.

• Minifornuis • Zitten op ruitjes • Dobbelkleed

• Opblaaspoef • Speelhoes: fornuis of racebaan

• Aan- en uitkleedpop • Speelhuis van karton

Hoofdstuk 4
Speelgoed

Elke dag pannenkoeken!

Minifornuis voor kleine koks

Zitten op ruitjes

En versierd met
bloemen en strikken

Dobbelkleed
Met rondjes en ruitjes

Opblaaspoef

Zwemband wordt binnenspeelgoed

Surprise! Met een speelhoes
wordt de kindertafel een
fornuis...

of racebaan!

GARAGE

Kleurig wandkleed en
speelgoed tegelijk

Aan- en uitkleedpop

Hoofdstuk 5
Over de vloer

Naar bed?
Linksaf!

XL verkeersborden op de grond

Letterwloer

Je naam aan je voeten

Mooie bloem

Voor een zachte en warme speelvloer

Snelle weg

Voor loopfiets of raceauto

Stippelsilhouet

Hertjes op je vloerkleed

Poes, Beer en Haas

Dat is leuk, knuffels in je tapijt!

Ruiten en rozen

Geschilderde tegels op
houten planken

Gek op bloemen!

Met linoleum kun je bijna elk dessin
op de vloer laten leggen

Hoofdstuk 5
Over de vloer

XL verkeersborden

Een verkeerspijl, schildpad en taxi peppen in *no time* een saaie kinderkamervloer op. Ze zijn genaaid van geruite stof en met dubbelzijdige plakfolie op drie eenvoudige vloerkleedjes bevestigd. De taxi kreeg raampjes en letters met textielverf; een festonsteek zorgt voor extra stevigheid en een speels kleuraccent.

Afmeting 70 cm doorsnede

Dit heb je nodig
Blauwe vloermatten Ringum (Ikea); geruite stoffen (De Boerenbonthal); tapisseriewol van Anchor in wit nr. 8000 en roze nr. 8212 (Coats

Benelux); dubbelzijdig plakfolie, 50 cm breed (Wernekinck Wolvilt); textielverf van Decorfin in wit (Talens); stevig karton, tamponneerkwast.

Zo maak je de verkeersborden
Maak de patronen van de pijl, auto en/of schildpad (pagina 181, 1 hokje is 4x4 cm) op ware grootte. Knip het gewenste motief uit 2 lagen stof met rondom 1 cm naad, waarvan 1 laag in spiegelbeeld. Stik de lagen rondom op elkaar met 1 cm naad, maar laat een stuk open. Keer de applicatie binnenstebuiten en strijk hem mooi glad. Bevestig de applicatie, bij de auto eerst sjabloneren (zie hieronder) met het dubbelzijdige plakfolie in het midden op de mat. Zet de rand rondom vast met de festonsteek (pagina 182) met de tapisseriewol.

Auto
Maak voor de auto uit stevig karton in de vorm van

de auto een sjabloon van de wielen, ruiten en het woord taxi. Leg de sjabloon op de auto en sjabloneer de vlakken en tekst met witte textielverf. Houd de kwast goed rechtop, zodat er geen verf onder de sjabloon komt. Verwijder de sjabloon en laat de verf goed drogen.

Lettervloer

Met zijn of haar naam op de vloer voelt je kind zich meteen thuis in zijn nieuwe kamer. Voor deze vloer zijn drie tapijtkwaliteiten gebruikt, elk met een andere pool, en vier verschillende kleuren. Zo krijg je een speels, levendig beeld. Kies een lettertype op de computer en stap ermee naar de tapijtzaak, want zelf snijden is af te raden.

Dit heb je nodig
Tapijt Solar kleur 107 nachtblauw (Bonaparte); letters B en A: tapijt Serano kleur 568 en 548 (Interfloor); letter S: tapijt Alexis kleur 36 (BéWé) Alle 100% polyamide, 4 m breed.

Mooie bloem
Tapijt is warm, zacht en energiebesparend, maar ook stroef: zeker voor de allerkleinsten een veilig idee, want dit maakt het risico van uitglijden een stuk kleiner dan op een gladde vloer. Zo'n roze tapijt met uitbundige bloem is echt iets voor de meisjeskamer. Gelegd in drie kleuren is dit een precisiewerkje dat je maar beter overlaat aan de tapijtlegger. Liever een ander ontwerp? Maak het zelf en leg het hem voor!

Dit heb je nodig
Tapijt Milano babyroze kleur 623 (Interfloor); tapijt Grandeur babyblauw kleur 231, tapijt Kira paars kleur 138 (Bonaparte). Alle 100% polyamide, 4 m breed.

Snelle weg
Om héél hard met je loopfiets of raceauto overheen te crossen, deze spannende vloer met snelweg én zebrapad. Gelegd met vinyl in vrolijke kleuren; een ideale vloer voor de kinderkamer, want vinyl is sterk,

warm, veerkrachtig en praktisch in onderhoud. De snelweg leidt naar een prikbord dat werd gesneden uit Bulletin Board, een natuurlijk, makkelijk te verwerken materiaal.

Dit heb je nodig
Vinyl VT Wonen roze met Paisley motief kleur 7354, vinyl Plus gebroken wit kleur 2010, vinyl Basix grijs kleur 6986, Bulletin Board kleuren 2162 en 2202. Alle Novilon, 4 m breed (Forbo).

Zelf doen of laten doen?
Zelf leggen van deze snelweg kan ook, als je handig bent tenminste. Tot 40 m² kan Novilon los gelegd worden, zonder verlijming. Vergeet de ondervloer niet: een vlakke ondergrond is nodig voor een strak eindresultaat.
Laat je goed adviseren door Forbo, de producent die

Kleuren combineren
Kleurcombinaties zijn altijd leuk, zeker in de kinderkamer, maar pas op dat het niet te hectisch wordt. Een grote kamer kan veel hebben, ook combinaties met complementaire kleuren (die tegenover elkaar liggen in de kleurcirkel), bijvoorbeeld hardblauw en oranje. Kies voor kleinere ruimtes liever een rustiger combinatie, denk aan diverse schakeringen van één kleur of ton sur ton kleuren (in de kleurcirkel naast elkaar). Ook een optie: combineer uni tapijt met een print uit dezelfde serie. (bron: Stichting Imagocampagne Tapijt).

Dit heb je nodig
Tapijttegels Interland kleur 628, tegels 50x50 cm, of banen 2 m breed, dierenmotieven Interland, kleur 629, ca. 60x40 cm. Beide 80% geitenwol, 20% scheerwol, kleuren uit collectie Coast (Tretford).

Hoe doe je dit?
Leg eerst alle tapijttegels en bepaal dan waar je de dieren wilt hebben. Draai daar de tegel om, leg het motief er op (in spiegelbeeld), trek de vorm na en snijd uit de tegel. Draai de tegel terug en leg het motief erin. Let op: snijd met het mes recht naar beneden! Wil je het motief verdeeld over twee tegels, zoals hier? Plak de tegels voor het snijden dan aan elkaar met tapijttape.

Tapijttegels: knoeien mag
Het grote voordeel van tegels is dat je ze zó kunt vervangen. Sommige tapijttegels zijn zelfs afspoelbaar onder de kraan. Andere pluspunten: ze zijn maatvast, makkelijk te versnijden en te leggen en je kunt

overigens zelf aanraadt een vakman in te schakelen, om helemaal zeker te zijn van een perfecte afwerking.

Dit heb je nodig
Vloerkleed Nastved 80X180 cm (Ikea); bruine wol Sport'Laine (Phildar).

Stippelsilhouet

Geïnspireerd door Bambi. We borduurden twee silhouetten van een hertje op een vloerkleed. Maak de tekening van het hertje (pagina 181, 1 hokje is 4x4 cm) op ware grootte. Knip het patroon uit, leg op het kleedje en speld vast. Borduur met vierdubbele draad rondom in rijgsteek. Plaats er 2 boven elkaar.

Poes, Beer en Haas

Dat is leuk, knuffels op de vloer! Deze kinderkamer is bekleed met tapijttegels van scheerwol en geitenhaar: heerlijk zacht en warm.
De diermotieven zijn uit dezelfde kwaliteit gesneden, kant-en-klaar te koop en zelf aan te brengen. Kies ze in de favoriete kleur van je kind!

> **TIP** Elk silhouet is natuurlijk mogelijk, denk ook aan beesten uit een favoriet leesboek.

er leuke banen, blokken en strepen mee maken. Ideaal voor de kinderplek!

TIP Meet voor je begint de vloer op en pas de maat van de vierkanten aan bij de vloer – zo wordt de verdeling beter en het resultaat mooier. Komt het toch zo uit dat je aan een kant van de kamer halve vierkanten moet schilderen, zorg er dan voor dat dit de kant van de kamer is die het minste opvalt.

Dit heb je nodig
Marmoleum Colourful Greys, beige nr. 3858, olijfgroen nr. 3511, oudroze nr. 3512 (marmoleumspecialist, kijk op www.marmoleum.nl).

Ruiten en rozen

Op een oude houten plankenvloer zijn diagonaal vlakken van 45x45 cm geschilderd. Tussen de vlakken zit wat ruimte waar rozen zijn geschilderd. Verf de vloer in twee lagen dekkend en werk af met twee beschermende lagen lak.

Dit heb je nodig
Verf op alkyd basis: blauw P0.07.85, lak op alkyd basis, zachtgeel G8.10.85, lak op alkyd basis Glits Glans (Flexa); voor de rozen Decormatt goud (Marabu).

Zo verf je de rozen
Kopieer de roos (pagina 182) tot de gewenste grootte. Breng de roos over op de ruimte tussen de vierkanten. Verf de binnenste cirkel van de roos iets dikker dan de getekende lijn.

Gek op bloemen!

Hier is het een vrolijke bloem, maar je kunt ook een racebaan, kasteel, dambord of gewoon een leuk dessin op je vloer laten leggen. De mogelijkheden met linoleum zijn eindeloos. Kies je tekening, bepaal de kleuren en de vloer wordt voor je gemaakt en gelegd.

• Foto op canvasdoek • Portretgalerie • Reuzeblokken

• Traktatiezakjes • Fotopapier

• Vakantie aan de lijn • Trio in duotone

Hoofdstuk 6
Meer doen met foto's

Klein of...

levensgroot

Je foto op een canvasdoek

Foto, passe-partout en lijst ineen

Portretgalerie

Reuzeblokken

Houten mini-
kistjes worden
maxi-stapel-
speelgoed

Traktatiezakjes
Bedrukt met het portret van de jarige Job

Fotopapier

Cadeau verpakt in een persoonlijke afbeelding

Vakantie aan de lijn

Voor een wisselende tentoonstelling
van de mooiste kiekjes

Trio in duotone

Je 'model' afgedrukt op canvas

Traktatiezakjes

Met deze zakjes wordt trakteren op school een nog groter feest. Of vul ze met een presentje en geef ze na de verjaarspartij aan de gasten mee naar huis.

Afmetingen 7x12 cm

Dit heb je nodig
Stevig papier; per zakje: een stukje gedessineerd papier van 13x27 cm; hobbylijm; stukje lint.

Zo maak je het zakje
Kopieer het patroon (pagina 182) op de gewenste grootte of teken het na. De cijfers in de tekening zijn in centimeters. Neem de contouren over op het stevige papier, geef ook de verschillende stippellijnen aan. Snijd of knip het zakje langs de contourlijn uit. Geef bij de binnenlijnen de uiteinden aan door een V-vormig knipje in het papier. Gebruik dit zakje als mal. Teken de mal zo vaak als nodig om op de achterkant van het gedessineerde papier. Geef ook de binnenlijnen met een streepje bij het knipje aan; teken daarna tussen de streepjes de lijnen helemaal in. Snijd of knip de delen langs de contour uit. Vouw het papier op de binnenlijnen om. Ril de lijnen voor, doe dit met de stompe kant van een schaar of een stompe naald. Vouw het papier op de lange stippellijnen naar achter en op de korte stippellijnen naar voor. Plak de plakrandjes (= de randjes aan de zijkanten van het smalle deel) vast (laat het driehoekje aan weerskanten van de bodem uitsteken). Lijm deze driehoekjes omhoog gevouwen op de zijkanten. Maak in de bovenkanten van het zakje 2 gaatjes, vul het zakje, rijg het lintje erdoor en knoop het dicht.

Je foto op een canvasdoek

Iedereen heeft wel een favoriete foto. Tegenwoordig kun je bij verschillende bedrijven je foto's, in kleur of zwart-wit, laten afdrukken op canvasdoek. Kijk hiervoor op internet, bijvoorbeeld op www.canvassite.nl. Diverse maten en uitvoeringen zijn mogelijk.

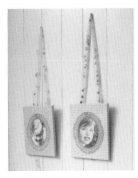

Portretgalerie

Een roze stippenlijst voor je dochter, een blauw ruitje voor zoonlief, met daarop hun foto afgedrukt in sepia en omkranst door een sierrand. Deze lieten we maken via www.van-orange.nl.

Reuzeblokken

In geen speelgoedwinkel te koop en dus perfect als origineel verjaardagscadeau: stapelblokken met je eigen foto erop. De blokken zijn houten dozen; de foto laat je vergroten en op een stickervel printen, snijd in

negen gelijke delen en plak op de doosjes.

Dit heb je nodig
Dozen 17,5x17,5 cm (Kars); fotostickers 51x51 cm (www.van-orange.nl).

Vakantie aan de lijn

De dubbele passe-partouts zijn eenvoudig uit karton gesneden. Met vrij dik garen is een turkooizen rand gestikt op de voorkant en vervolgens zijn de foto's erachter geplakt. De passepartouts zijn over een koord gehangen.

Dit heb je nodig
Koord (Jan de grote Kleinvakman); karton (Vlieger).

TIP Om eenheid te creëren zijn alle vakantiefoto's een beetje blauwig gemaakt. Dit kun je doen door ze op de computer te bewerken of blauwe kleurkopieën te maken.

Fotopapier

Print een foto in één kleur, zet de foto hiervoor om in duo-toon. Snijd hem uit in een formaat dat als wikkel om je cadeau past. Pak het cadeau in met bijpassend gekleurd papier. Wikkel de foto eromheen en versier het pakje met lint.

Trio in duotone

Deze foto's zijn door www.canvassite.nl omgezet naar duotoon. Vervolgens zijn ze afgedrukt op canvasdoek en om een houten frame gespannen. Een leuk drieluik!

• Knopenzak • Interieursticker op muur • Pyjamazak
• Sprookjesbed • Knusse klamboe • Vrolijke kinderzit

Hoofdstuk 7
Folkore

Knopenzak

Handige opberger in de bad-,
slaap- of kinderkamer

Interieursticker
fleurt de muur op
Snel effect

Voor de
babykamer

Lieflijk shirtje om de pyjama in op te bergen

Prinses
op de erwt

Sprookjesbed voor meisjes

Knusse
klamboe

Een hemel van verschillende stoffen

Vrolijke kinderzit

Unieke stoeltjes, versierd met verf en knipsels

Knopenzak

Speelgoed, sokken, handdoeken, garens en linten... je kunt het allemaal kwijt in deze opberger die bestaat uit een aantal aan elkaar geknoopte zakken. De knopenzak wordt opgehangen aan een klerenhanger. Meer of minder bergplek nodig? Knoop er een zak af of maak er één bij!

Afmetingen ± 32x150 cm

> **TIP** Leg een stokje onder in elke zak om die goed in model te houden.

Dit heb je nodig

1.10 m lichtgroene stof met geborduurde bloemen, 148 cm breed, Roxanne Weaves van Lorca (Wilhelmine van Aerssen Agenturen); 1.40 m groen vilten band van ± 2½ cm breed (Vlieger); 8 roze knoopjes van ± 2 cm doorsnede (Jan de grote Kleinvakman); (patroonteken)papier; 4 smalle ronde stokjes van 30 cm lang; bijpassende kleuren naaimachinegaren; klerenhanger; lint (Van de Kerkhof).

Zo maak je de knopenzak

Teken voor het bovendeel op papier een hemdmodel van 32 cm breed en ongeveer 28 cm hoog. Gebruik eventueel een hemdje als voorbeeld om de armsgaten, hals en schouders te tekenen. Knip dit patroon uit. Knip het patroon twee keer uit dubbele stof met rondom 1 cm naad. Knip voor de vier zakken in totaal acht lapjes van 34 cm breed en 38 cm hoog. Pas eventueel de hoeveelheid zakken aan je eigen wensen aan.

Algemeen

Leg voor het stikken van de naden de delen met de goede kanten op elkaar en stik met 1 cm naad.

Bovendeel

Leg twee bovendelen met de goede kanten op elkaar en stik de zijnaden. Doe hetzelfde met de andere twee bovendelen. Strijk de naden open. Keer een deel en schuif dit in het andere deel (dus de goede kanten komen tegen elkaar). Stik ze langs de hals- en armsgatkanten op elkaar. Knip de naden bij de rondingen in en keer het bovendeel met de goede kant buiten. Stik de schoudernaden; neem hierbij van de voorkant de dubbele stoflaag en van de achterkant alleen de bovenlaag. Naai daarna de onderlaag van de achterkant met de hand vast, zodat de naad netjes is weggewerkt. Stik tot slot de onderkanten met een inslag op elkaar, zodat een hemdvorm ontstaat.

Zakken

Vouw bij vier zakdelen aan de bovenkant (= een korte kant) 3 cm stof naar de goede kant om en speld deze zoom met 1 cm inslag vast. Stik een stuk viltband over deze zomen op de lapjes vast. Leg op elk gezoomd lapje een lapje voor de achterkant; houd de onder- en zijkanten gelijk en de goede kanten van de stof op elkaar. Stik de delen langs de zij- en onderkanten op elkaar. Keer de zakjes.

Vouw de 3 cm die aan de bovenkant van de zakjes uitsteekt naar binnen om. Stik de zomen met een inslag vast, zodat de zijnaden aan de bovenkant in deze zoom zitten.

Maak in de bovenkanten van elke zak door alle stoflagen aan weerskanten een knoopsgat. Naai op de onderkanten van drie zakken en het bovendeel (± 3 cm vanaf het armsgat) door beide stoflagen twee knopen aan.

Aan elkaar knopen

Knoop de zakken en het bovendeel aan elkaar. Schuif de stokjes in de zakken, zodat ze mooi recht in model blijven. Hang de opbergzak met de kleenhanger en het lint op.

Interieursticker op muur

Niets zo fijn als een eigen plek waar je met je vriendjes de toestand in de buurt doorneemt, onder het genot van een glaasje limonade. Hier is de muur versierd met interieurstickers. Dat was nog moeilijk kiezen, want het aanbod is groot. De bloemenslinger steekt mooi af tegen de dieprode achtergrond.

Dit heb je nodig

Interieurstickers van Nouvelles Images (Nijhof); kleur op wand B.6.40.30 (Flexa).

TIP Op internet kun je de leukste interieurstickers bestellen. Kijk bijvoorbeeld eens op:
www.cutitout.nl
www.haikje.nl
www.debijzaak.nl
www.zuuz.nl

Pyjamazak

Een shirtje met dichte armsgaten en een bodem erin. Dat klinkt vreemd, maar in dit geval is het precies wat je wilt maken! Maak een opening in het voorpand en hang het shirtje op een kinderkledinghangertje. Een leuke plek voor het opbergen van de pyjama van de kleine.

Dit heb je nodig

0.45 m jacquardstof, 140 cm breed, Lily uit de collectie Florance (JAB Anstoetz); biaisband in een bijpassend kleur; 45 cm fluweelband van ± 1½ cm breed; 40 cm roze smal lint; een kinderkledinghangertje (Hema).

Zo maak je de pyjamazak

Maak met behulp van de schematekening (pagina 183, 1 hokje is 4x4 cm) de patroondelen op ware grootte. Knip de patroondelen uit en knip ze met rondom 1 cm extra stof voor de naad, behalve bij de hals, het pand 2x en de bodem 1x uit de stof; houd bij beide delen de stippellijn tegen de stofvouw.

Opening

Knip het voorpand op de stofvouw over een lengte van 20 cm in, begin 5 cm vanaf de hals. Werk deze rafelkanten met biaisband af. Stik nu aan weerskanten ter versiering een stukje fluweelband langs de opening en naai middenboven een strikje van lint vast.

In elkaar zetten

Stik met 1 cm naad de voor- en achterkant op elkaar, maar laat de hals en onderkant open en eindig aan weerskanten met stikken 1 cm vanaf de onderkant. Stik de bodem in de onderkant. Knip de ronde naden in en werk de naden met een zigzagsteek af. Keer de pyjamazak en werk de hals met een stoffen biesje van ¾ cm breed af.

> **TIP** Voor zo'n lieve pyjamazak kun je ook een shirtje gebruiken dat niet meer past. De mouwen dichtstikken, onderin een rits zetten, ophangen aan een hangertje en klaar!

Knusse klamboe

Aan de bovenkant is een hemel van verschillende stoffen gemaakt, waardoor de klamboe extra romantisch wordt. Deze hemel wordt beschreven voor een klamboe met een platte bovenkant waar houtjes de cirkel vormen met een omtrek van 300 cm. Pas voor je eigen klamboe de hemel aan. Meet de omtrek van de cirkel en maak de onderkant van de punten smaller of breder of knip meer of minder punten.

Dit heb je nodig

0.80 m stof met ingeweven roze bloemen, 115 cm breed, 0.60 m zijde in geel, turkoois, blauw en roze, 115 cm breed (Saima Fashion); 0,60 m smal band in turkoois, naaigaren; klamboe (Klamboe Unlimited).

Zo maak je de klamboe

Maak een patroon voor de punten van de hemel. Teken hiervoor een rechthoek van 50x60 cm. Teken hierin een driehoek door 2 lijnen te trekken vanaf het midden van een korte kant naar de hoeken van de rechthoek bij de andere korte kant. Knip de driehoek uit. Knip dit patroon met rondom 1 cm naad 1 keer uit elk van de 4 kleuren zijde en 2 keer uit de gebloemde stof. Knip voor de rand 6 repen van 23x54 cm, waarvan 1 reep uit elk van de 4 kleuren zijde en 2 repen uit de gebloemde stof. Knip voor de lus uit een van de kleuren zijde 1 reep van 6x12 cm.

Algemeen

Leg voor het stikken van de naden de delen met de goede kanten op elkaar en stik met 1 cm naad, tenzij anders vermeld.

In elkaar zetten

Stik de lusreep dubbel, laat de uiteinden open en keer hem. Stik 2 keer 3 punten stof met de lange kanten aan elkaar. Zorg dat bij deze beide helften een gebloemde punt in het midden komt. Stik de helften aan elkaar en stik middenboven de 2 uiteinden van het lusje (moet straks aan de buitenkant komen) en 1 uiteinde van het band (moet straks aan de binnenkant komen) mee.

Stik in de onderkant (is een lange kant) van de randrepen een zoom van 1 cm breed met 1 cm inslag. Stik met 2 cm naad de zijkanten (zijn de korte kanten) van de repen aan elkaar tot een ring. Stik de naden vanaf de bovenkant over 5 cm dicht. Wissel 2 keer 2 uni repen en 1 gebloemde reep af, zorg dat de verdeling anders is dan bij de punten.

Strijk de naden open en stik ze verder met 1 cm inslag doorgaand langs de onderkant vast, zodat zomen van 1 cm breed met 1 cm inslag ontstaan. Stik de rand langs de onderkant van de hemel, zorg dat de naden mooi doorlopen. Knoop de klamboe aan het bandje in de hemel vast.

(ook handig voor logees) en Chinees bedlinnen! Ook hier aan de wand veel ruimte voor lijstjes en frutsels.

Dit heb je nodig
Groen tienerbed Prinses op de Erwt, onbehandeld, incl. trap, excl. lattenbodem, hier geverfd in Flexa Colors L0.20.50, fotolijstjes, Chinese hanger, blauwroze dekbedovertrek met franjes, Chinees laken, overig bedlinnen, slofjes (Kids Factory); wit fluwelen sprei met geborduurde bloemen (Rice); kleur op de wand lichtgroen K2.10.70 en petrol Q0.20.40 (Flexa).

mende transparante parketlak, zodat de afbeeldingen tegen een stootje kunnen.

Dit heb je nodig
Kinderstoeltjes Svala (met tafeltje, Ikea); acrylzijdeglans verf in turkoois R0.30.60 en warm oranje C8.50.40 (Flexa); Chinese knipsels (Het Grote Avontuur); transparante parketlak (Phoenix).

> **TIP** Denk ook aan plaatjes van favoriet speelgoed, een geliefde stripheld of lievelingsdieren. Op internet vind je heel veel afbeeldingen en kleurplaten die je hier goed voor kunt gebruiken.

Vrolijke kinderzit

Blankhouten stoelen lenen zich perfect voor het fabriceren van een ultrapersoonlijke look. Zo zijn deze kindermodellen eerst in een lekkere knalkleur geverfd en daarna beplakt met mooie afbeeldingen van dieren en planten. Het geheel is vervolgens afgelakt met een bescher-

Sprookjesbed in oosterse sfeer

Sprookjesbed voor meisjes, met een vorstelijk hoofdeinde, een extra matras

• Zitplek en opberger • Opbergmand

• Schatkist of kofferkast • Vlinderkast

• Opberg-box • Kist vol verhalen • Speelgoedtas

Hoofdstuk 8
Opbergen

Stoelriemen vast!

Stoere zitplek en opberger

Uit het zicht

Opbergmand voor alle knuffeldieren

Schatkist...

Ik ga op reis en neem mee

# of kofferkast

Diapositief

Verf alles, behalve de vlinders

Opberg-box

Hang een vakkenkleed aan de muur of box

Vol verhalen
En het eerste begint op de deksel

Speelgoedtas

Dat ruimt leuk op!

Opberg-box

Handig zo'n opbergkleed aan de box. Of hang 'm op kinderhoogte aan de wand of achter de commode.

Dit heb je nodig
Wolvilt, 2 mm dik, stokvilt (Wernekinck Wolvilt); splijtgaren (fourniturenwinkel); rolladetouw (kookwinkel); gaatjestang of holpijpje (ijzerzaak).

Zo maak je het kleed
Knip uit wolvilt 1 lap van 50x90 cm, 4 vierkanten van 20x20 cm voor de zakjes, voor de zijkant van de zakjes 8 driehoeken met 2 benen van 20 cm en een onderkant van 8 cm. Verdeel de bovenkant van de lap in 11 gelijke stukken voor 10 vilten rondjes van 3 cm doorsnede. Bevestig deze 5 cm van de bovenkant door zowel in de lap als de rondjes een gaatje te maken. Door de vilten rondjes zijn stukjes stokvilt geregen die aan elkaar zijn geknoopt. Stik de driehoekjes aan weerskanten van het lapje, die versierd zijn met stukjes stokvilt en splijtgaren, tot zakjes. Stik ze op een rij op de lap. Bevestig de lussen met rolladetouw aan de box.

Opbergmand

Kopieer de dieren (pagina 183) op het gewenste formaat en knip ze uit. Volg de contouren van het dier met koord of vilten wolsnoer en zet deze vast met naaigaren. Maak een oog van een knoop.

Dit heb je nodig
Manden (De Emaillekeizer); vilten wolsnoer (De Witte Engel); koord (Jan de grote Kleinvakman).

Schatkist of kofferkast

Deze hutkoffer is geschilderd in zachtgroen (behalve de randen) en opgevrolijkt met een mooie streepstof. Een perfecte plek voor de verkleedkleren of ander speelgoed.

Hutkoffer (rommelmarkt of op www.marktplaats.nl); zachtgroene verf NO.10.70 (Flexa); stof met streep Portobello van Designers Guild, 134 cm breed (Wilhemine van Aerssen Agenturen); gebloemde stof Julia uit collectie Imagine van Casadeco, 180 cm breed (Texdecor).

Zitplek en opberger voor kleine piloten

Kopieer het vliegtuig (pagina 183) op de gewenste groottes, knip ze uit en teken ze licht om op het bankje. Plak met ronde stickers in verschillende groottes, die je kleurt met viltstiften, de vliegtuigen met ramen en luchtkringels. Zet het bankje in de blanke lak om de decoratie te beschermen.

Bankje in blank hout (BasicLabel); stickers, viltstiften (boekhandel); verf oranje D6.47.61 (Flexa).

Vliegtuigen 25 en 35 cm lang

Speelgoedtas

Altijd handig: royale tassen met een leuke decoratie. Knip de decoratie die je wilt gebruiken uit papier en neem hem met kleermakers- krijt over op de tas. Naai het dikke koord erop met kleine steekjes.

Dit heb je nodig
Tassen (susan@ysdesign.nl); dik koord, kleermakerskrijt (Jan de Grote Kleinvakman).

Kist vol verhalen

Zo'n oude kist heeft veel geheimen: hoe oud is hij precies? Van wie is hij geweest en wat heeft erin gezeten? Wij hebben de deksel van deze kist donker- blauw geschilderd met schoolbordverf. Met krijt is er het begin van een sprookje opgeschreven.

Dit heb je nodig
Kist (Havenloods23); schoolbordverf (Phoenix); verf Inkt VT-Wonen/Flexa.

Vlinderkast

Begin met vlinderstickers op de commode te plakken. Daarna verf je de kast en ga je met de verfroller om de stickers heen. Als de verf droog is, trek je de stickers van de commode en houd je silhouetten van houten vlinders over.

Dit heb je nodig
Commode Purewood 101x107x55 cm (hxbxd) van massief eiken (Prénatal); stickers Butterfly medium 37,4x40 cm (Studio Haikje); acrylverf mat in zalmroze CO.30.60 (Flexa).

Hoofdstuk 9
Kinderfeestjes

Opfrissers
Snelle oppepper voor flesjes drinken

Kinderkookfeestje
Wie maakt het mooiste cakeje?

Snoepidee

Zoetwaar geregen
aan een plastic draad

Marshmallowshake

En hij smaakt net zo lekker als-ie eruitziet

Voor de kleintjes

Allemaal een glas met een grappig rietje

Van het huis

Geserveerd zoals het hoort!

Om uit te delen

Voor de kraamvisite van Lot

Roze of blauwe muisjes
Een originele traktatie

Flesjes opfrissen

Een leuke manier om flesjes op te vrolijken: lijm er een wikkel mooi papier of restjes behang omheen.

Snoepidee

Tumtums, suikerhartjes, Engelse drop, alles wat

zacht en zoet is, is geschikt voor een lekkere snoepketting. Maak er eventueel eerst een gaatje in met een satéprikker en rijg ze dan aan een scoubidoudraadje. Ook leuk als traktatie.

Grappige rietjes

Met zo'n rietje wordt zelfs gewone limonade een heuse feestdrank. Knip bloemen uit gekleurd vliegerpapier, geef ze rondom met een witte stift een kringelmotief en teken in het midden een bloemhartje. Lijm twee bloemen aan elkaar met een rietje ertussen. Zo kun je ook houten satéprikkers opfleuren.

Kinderkookfeestje

Mengen en kneden, lekker met de handen in het deeg en stiekem al snoepen.

Dit heb je nodig

voor de cakejes: 175 g zachte boter, 150 g basterdsuiker, 1 zakje vanillesuiker, 3 eieren, 300 g zelfrijzend bakmeel, mespuntje zout, 1 tl bakpoeder, 75 ml melk, muffinbakvorm, papieren vormpjes;
voor het glazuur: 125 g zachte roomboter, 300 g poedersuiker, 1 el melk, enkele druppels vanillearoma of 50 g cacaopoeder

Zo maak je de cakejes

Verwarm de oven voor op 160°C. Meng boter en suikers in een kom en mix tot een lichte, luchtige massa. Meng de eieren een voor een erbij. Zeef meel, zout en bakpoeder boven de kom en spatel door het mengsel. Schenk melk erbij en roer tot een glad beslag. Leg in elk holletje van de muffin-vorm een papieren vormpje en vul ze voor de helft met beslag. Plaats de vorm in het midden van de oven en bak ± 20 min., of tot ze gaar zijn.

Zo maak je het glazuur
Vanilleglazuur: mix boter tot het licht, bijna wit van kleur wordt. Voeg beetje bij beetje gezeefde poedersui-ker toe en meng tot een luchtige massa. Roer melk erdoor en breng op smaak met vanillearoma. Chocoladeglazuur: idem, maar meng cacao erdoor in plaats van vanillearoma.

Dieren van marshmallow
Plak in stukjes geknipte marshmallows en spekjes met een beetje suikergla-zuur (roer 125 g poedersui-ker met een paar druppels melk) aan elkaar en gebruik dropveter voor de ogen. Bestrijk de bovenkant van de cakejes met glazuur (vanille of chocolade). Zet de dieren erop vast met een beetje glazuur. Je kunt natuurlijk ook kant-en-klare feestversiering gebruiken.

Marshmellow-shake
Meng een flink aantal marshmellows met 2 dl melk en 8 bolletjes roomijs in de keukenmachine tot een luchtig geheel. Maak dierenprikkers met spekjes en marshmallows, steek ze in de shake en serveer koel.

Friet van het huis
Uit eigen keuken en opge-diend in een vrolijke punt-zak: de lekkerste frietjes! De puntzakjes vouw je van stevig papier dat je met een beetje lijm vastzet.

Snoepzakjes
Snijd een strook behang dat in het zakje past, vouw een stukje voor de bodem om en plaats het behang in het zakje. Vul het met snoep. Maak kleine strookjes voor de naam van de baby. Prik het aan de veiligheidsspeld en sluit hiermee het zakje.

Lange-muis-vingers
Smelt chocolade al roerend au bain-marie, hij mag niet heet worden. Doe muisjes in een schaaltje. Doop de lange vingers in de chocolade en daarna in de muisjes.

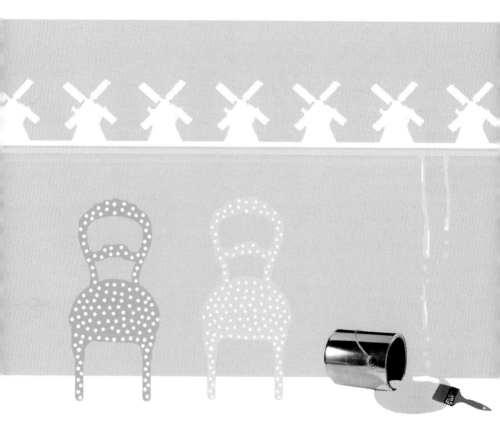

Hoofdstuk 10
Schilderkunst

Glinsterende stippen
Op tafel en stoelen

Vrolijke parade

2 kleuren,
1 muurschildering

Uit het zicht, netjes opgeruimd

Alles heeft een eigen
plek in de speelgoedkast

Tweede leven voor een vondst
van de rommelmarkt
Vriendjesbureau

Met een sjabloon maak je snel zo'n
prachtige muurschildering

Invuloefening

Krijtpop

Opgewekte versiering
voor de kinderkast

Wroem!
Op deze auto kun je lekker krijten

3-kleurenbed

Je kind kiest de favoriete tinten

I0.20.80, knalgroen G8.45.80 en ecru 3075, alle zijdeglansverf (Flexa); schoolbordverf in turkoois (Phoenix)

Speelgoedkast

De opgevrolijkte binnen-kant maakt van deze kast een echte speelgoedkast. Het interieur werd geschil-derd in turkoois. Op de deur-panelen kwam schoolbord-verf in dezelfde kleur, met een geverfde lijst van groen-ecru ruiten. Onderin zit het speelgoed in witte manden met een label, gemaakt van dun hout. Boor er een gaatje in en hang ze met een lintje aan de manden.

Dit heb je nodig
Kast (Wagenaar van Co); verfkleu-ren: buitenkant ecru 3075, binnen-kant turkoois Q0.29.65, ruitjes groen

Vriendjesbureau

Een unieke vondst: dit schoolbankje. Met verf helemaal van nu. Het ijzer-werk verfden we zilver, het blad zachtblauw. Met blauwe schoolbordverf maakten we twee vlakken op het blad. De stoeltjes zijn met 2 tinten blauw geverfd.

Dit heb je nodig
Schoolbankje (Kinderatelier Naar bed, naar bed..); verf in zachtblauw S0.10.70, lichtblauw S0.20.60, school-bordverf in blauw S0.20.50 (Flexa); zilververf (Hammerite).

Krijtpop op de kast

De kinderkast is goudgroen geschilderd, met een oranje randje om het paneel. Neem de tekening van de pop (pagina 184, 1 hokje is 4x4 cm) over op ware grootte. Knip de pop uit en teken hem met potlood om op de deur. Schilder de pop met lichtroze schoolbordverf, met krijt krijgt ze elke dag een andere outfit.

Dit heb je nodig
Kast onbeschilderd (Havenloods23); verf in groen G0.20.70 (Flexa); hobby-verf Decorfin in oranje (Talens); schoolbordverf in roze D2.10.80 (Phoenix)

Krijtauto

Teken de auto (pagina 185, 1 hokje is 4x4 cm) op ware grootte op mdf en zaag 'm uit. Schilder de auto met schoolbordverf.

Dit heb je nodig
Mdf, 8 mm dik (bouwmarkt); schoolbordverf in Petrol S3040-B20G (Histor).

Stippen op tafel en stoelen

Verf een set kindermeubels roze en breng er stippen op aan in frisse kleuren. Voor een vrolijk effect verf je de stippen over met glitterverf.

Dit heb je nodig
Tafel en stoeltjes (BasicLabel); verf in roze Blossom K41, lichtgroen Lime Tree K81, grijsblauw Ice Blue K71, roze Sweetheart K32, alles op waterbasis, Glitter (Painting the Past).

Vrolijke parade

De wand is lichtgrijs en okergeel geverfd. Teken er olifanten, vogels en schildpadden (pagina 184) in de gewenste grootte op.

Dit heb je nodig
Verf lichtgrijs ON.00.76, okergeel F6.25.65 (Flexa).

Muurschildering

De wand is gesjabloneerd met 8 sjablonen uit één serie. Je kunt ze in elk gewenst patroon op de muur aanbrengen.

Dit heb je nodig
Van kleinste sjabloon (30x40 cm) tot grootste sjabloon (60x80 cm), huren kan ook bij Als de kat; muurverf in groen Sap 2060-G80Y (Histor).

3-kleurenbed

Dit bed kreeg dezelfde kleuren als het beddengoed. Maak een dekbedhoes van stof in drie tinten en verf het bed in dezelfde kleurbanen.

Dit heb je nodig
Bed; verf in donkerblauw Groots 7020-R90B, wit 9010 (Histor); in lichtblauw S0.20.70 (Flexa).

• Magneethondjes • Vlinderkapstok

• Mini-expositie op onderzetters • Hartenlijst

• Verzamelplek • Schilderijtjes met restjes behang

Hoofdstuk 11
Aan de muur

Fijn voor jou: de warme kleur

Leuk voor je kind:
magneethondjes

Vlinderkapstok

Handige opberger
voor hal of kinderkamer

Klein spul
Mini-expositie op onderzetters

Hartenlijst

Lieve kaarten om zelf te maken

Verzamelplek

Voor foto's, sleutels,
kaarten en lieve briefjes

Restje behang?

Met bladmetaal maak je er iets chics van

Hoofdstuk 11
Aan de muur

Magneethondjes

Tekeningen, spannende foto's en handtekeningen van idolen, je kids kunnen het allemaal kwijt op deze magneetmuur, met de hulp van vrolijke magneethondjes.

Zo maak je de magneethondjes

Beplak karton met dubbelzijdig tape. Kopieer de hondjes (pagina 185) op het wenste formaat. Neem ze over op het karton en knip ze uit. Verwijder de bovenste laag van de tape, plak een lapje vilt op elk hondje en knip rondom uit. Strik een lintje om de hals en

lijm met hobbylijm een magneet achter op de hond.

Dit heb je nodig

Karton van 1 mm dik (Vlieger); breed dubbelzijdig tape (bouwmarkt); magneten, hobbylijm (Pipoos); satijnlint (Jan de Grote Kleinvakman); wolvilt in oranje nr. 05, fuchsia nr. 08, lila nr. 31, felroze nr. 28 en aubergine nr. 24 (Wernekinck Wolvilt).

Vlinderkapstok

Teken een vlinder (pagina 187, 1 hokje is 4x4 cm) op papier en teken deze meerdere keren over op mdf. Zaag de vlinders uit en zaag ze doormidden. Maak met een gatenboor van

4 cm doorsnede gaten in de vleugels. Verf de vlinders dekkend oranje. Schroef scharnieren op de vlinders en vervolgens op een (steiger)plank. Om ze goed te laten scharnieren laat je 1 of 2 cm ruimte tussen de vleugels van elke vlinder.

Dit heb je nodig

Mdf, 9 mm dik, scharnieren 0,8 cm breed, 3 cm lang (bouwmarkt); acrylverf mat in oranje CO.30.60 (Flexa); (steiger)plank.

Mini-expositie op onderzetters

Kurken onderzetters zijn in twee verschillende tinten geschilderd en met dubbelzijdig tape op de wand geplakt. Je kunt er de mooiste knip- en plakwerken aan prikken met een punaise of speldje. Wil je wat zwaardere spullen tentoonstellen, schroef de onderzetters dan aan de muur.

Dit heb je nodig
Onderzetters Heat (Ikea); dubbelzijdig tape (bouwmarkt); verf in aubergine AO.10.30, wit HN.02.88 (Flexa).

Hartenlijst

Maak mooie kaarten met een hartmotief en hang ze aan witte linten in een witgeschilderde lijst. Denk voor de kaarten aan een geborduurd hart of een hart geknipt uit bijzonder papier of behang.

Zo maak je deze kaarten
De kaarten zijn 10x15 cm. Maak een hart van stevig roze papier beplakt met allerlei bandjes en plak dit

op een wit kaartje. Of rijg een hart op vilt, dat je op stevig papier plakt. Of maak van wit en rood pulp een handgeschepte kaart. Voor het hart gebruik je een koekvormpje. Of plak op papier met een dessin een hartje van plastic kant met een strikje eronder. Of knip uit een lapje ecru vilt 4 hartjes. Plak dit op wit vilt met onder één hartje een stukje rood vilt. Of prik gaatjes in hartvorm in een kaart. Steek door elk gaatje een wit pluizig draadje en knoop dat aan beide kanten van de kaart. Knip de draadjes kort af.

Verzamelplek

Oud hout over? Altijd bewaren! Je maakt er de leukste dingen mee, zoals deze originele wandrekjes. Lijm mooie houten knijpers op de plankjes en bevestig aan de achterkant ophang-

haakjes. Handig in de hal of keuken, grappig in de kinderkamer.

Dit heb je nodig
Oude plankjes; houten knijpers (Dille & Kamille); montagekit, ophanghaakjes (bouwmarkt).

Schilderijtjes met restjes behang

Deze schildersdoekjes zijn beplakt met vintage behang. Vouw de randen glad en werk de hoeken mooi af. Kopieer de dieren (pagina 186) op het gewenste formaat. Knip de dieren uit bladmetaal in koper, zilver en goud en plak ze op de beplakte schilderijtjes.

Dit heb je nodig
Vintage behang in geel met groen, oranje met bruin, roze en geel, groen, bruin en oranje (De Bonte Kamer); bladmetaal in koper, zilver en goud, hechtmiddel voor bladmetaal (De Ru Amsterdam); schildersdoeken (Pipoos).

• Letterkussens • Woordenhoek • Schoonschrift

• Naamletters • Rekenen & schrijven

• Geboortelijst • XXL letter • Dat ben ik

Letterpret

Letterkussens

..Leuk op bank en bed!

Woordenhoek

Met letters van vilt

Schoonschrift

Hollands helder beddengoed,
beschreven met koord

Naamletters

Versier de wand met
de initialen van je kind(eren)

Rekenen &
schrijven

Het allerleukst met
zelfgemaakte blokken

Geboortelijst
Ook een lief kraamcadeau

Jade
4maart2006
52cm 3260gram

Beau
15 Juni 2004
50cm 3270gram

Bling bling letter

Een glanzend initiaal in XXL

Zara

Dat ben ik!

Je naam gemaakt van houten letters met pakpapier

Hoofdstuk 12

Letterpret

Woordenhoek

Deze magneetwand lijkt op een schoolschriftje in XXL-formaat. De vilten letters hebben magneetblokjes. De wand is tot 120 cm hoog turkoois. Om de 20 cm zijn witte 'schrijflijnen' gemaakt. Plak de muur steeds af met tape voor rechte lijnen!

Dit heb je nodig
Verf Petrol S3050-B10G, lichtblauw S2020-B30G, 'wit' S0502-Y (Histor); magneetblokjes, magneetverf (Magpaint Europe); wolvilt in verschillende kleuren (Wernekinck Wolvilt).

Zo maak je de letters
Elke letter bestaat uit 2 lagen wolvilt. Typ op de computer een aantal letters in verschillende lettertypes. Vergroot ze tot ± 17 cm en print ze. Knip de letters uit. Knip ze 2x na uit vilt. Stik ze met knoopsgatengaren op elkaar. Plak aan de achterkant de magneetblokjes.

Naamletters

Breng initialen op de wand met een patroonroller. Kies een lettertype op de computer, print, vergroot en neem over op een groot stuk bruin inpakpapier. Rol de letters met de patroonroller op het bruine papier en knip ze ruim uit: wat overblijft is de sjabloon voor de letters op de muur.

Dit heb je nodig
Muurverf in warmrood S3060-R60B, grijsblauw S1010-B10G (Histor); patroonroller 322 (Amazona).

Geboortelijst

Deze lijsten maak je van schildersdoek dat je bekleedt met stof naar keuze. Kies op de computer een lettertype (hier Monaco), print de benodigde letters, knip ze na uit vilt en plak ze op de lijst met textiellijm.

Dit heb je nodig
Schildersdoeken 40x40 cm, textiellijm (Pipoos); stof in roze en/of blauw; wolvilt in wit nr. 56, 2 mm dik, 180 cm breed (Wernekinck Wolvilt).

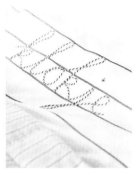

Schoonschrift

Stik met dik garen vier dubbele lijnen op een dekbed.
Schrijf met koord (hier rolladetouw) een woord en
zet deze vast met steekjes.

Dit heb je nodig
Dekbedovertrek (Ikea); rolladetouw
(kookwinkel).

XXL letter

Deze letter heeft een (nep)
aluminiumlaag. Kies een
lettertype op de computer,
print en vergroot tot 50 cm.
Zaag de letter uit mdf en
schuur de randen. Lijm de

aluminiumlaag vast
met Permacoll volgens
de gebruiksaanwijzing.

Dit heb je nodig
Mdf, 18 mm dik; Permacoll size verguld
lijm, bladaluminium (Duller & Co).

Dat ben ik!

Kies op de computer een
lettertype, vergroot de letters. Print ze, knip ze uit en
zaag ze uit mdf. Beplak de
letters met pakpapier, de
randjes met stroken.

Dit heb je nodig
Mdf, 8 mm dik; papier (Pakhuis Oost).

Rekenen &
schrijven

Zaag blokken van 5x5x5 cm.
Verf ze wit. Bestempel ze
met letters en cijfers in
allerlei kleuren.

Dit heb je nodig
Vurenhouten balk 5x5 cm (bouwmarkt); acrylverf in wit HN.02.88
(Flexa); stempel alfabet, cijfers, doosje
stempelinkt met 8 kleuren (Pipoos).

Letterkussens

Kies een lettertype op de
computer en print de letters
voor de gewenste naam, in
de gewenste grootte. Knip
elke letter 2x na uit vilt. Stik
ze op elkaar met de zigzagsteek, laat een stukje open.
Vul de letters en stik ze dicht.

Dit heb je nodig
Wolvilt, 2 mm dik, in verschillende
kleuren (Wernekinck Wolvilt); kussenvulling (Jan de grote Kleinvakman).

Hoofdstuk 13
Feestelijk

Tik een eitje

Grappig op brood

Vrolijk Pasen
Servetten voor de kleintjes

De zak van Sinterklaas

Zelfgemaakt van vilt en linnen

Voorstelling
Poppenkast tussen de deuren

Kersthuisje

Een prachtig bouwpakket om op te eten

Koekjesboom

Zo gemaakt, heel gezellig!

Kerstmobile

Met vrolijke rendieren van vilt

olf

e gast in elk kersthuis

Kiekeboe

Masker en muts voor een decemberspel

Mooi ben ik hè?

Engelenjurkje met vleugels en aureool

Hoofdstuk 13
Feestelijk

Paasservetten

Voor de kleine eters zijn deze servetten met paasbeesten erop.

Afmetingen 42x42 cm

Dit heb je nodig

Wit linnen (De Boerenbonthal); naaigaren Duet (Coats Benelux); bandje (Van de Kerkhof); vliesofix (= dubbelzijdig plakvlies, Ant. Schröder); blauw-wit geruite stof (A. Boeken Stoffen en Fournituren)

Zo maak je de servetten

Knip uit wit linnen lappen van 42x42 cm. Werk de lappen rondom af met een zig-zag- of locksteek met blauw of geel garen. Stik op 1 cm

vanaf de rand een bandje vast. Kopieer de haas (pagina 187) op de gewenste grootte (hier 14 cm). Neem hem over op vliesofix en strijk de haas op de achterkant van de geruite stof. Knip de haas uit en strijk hem op de servet. Stik de haas rondom vast met een smalle zigzagsteek met wit garen. Stik voor de snorharen 2 stukjes band kruislings op elkaar.

Grappig eitje

Een spiegelei op brood: dat klinkt bijna saai. Maar bak zo'n eitje in een vorm en het wordt heel speciaal. Er zijn ijzeren vormen verkrijg-

baar die je in een gewone koekenpan kunt leggen en waarin je het eitje breekt.

Dit heb je nodig

Hart (Hema); eendje, haas (What's Cooking).

De zak van Sinterklaas

Hoogte 65 cm, doorsnede 32 cm

Dit heb je nodig

0.80 m wit wolvilt, 2 mm dik, 180 cm breed (Wernekinck Wolvilt); wit stevig plakvlieseline (Ant. Schröder); wit en rood naaimachinegaren Duet (Coats Benelux); 1.10 m ecrukleurig grof linnen of jutestof, 140 cm breed,

en 1.05 m rood stippenband van 2½ cm breed (A. Boeken Stoffen en Fournituren); 1.30 m rood koord (Jan de grote Kleinvakman).

Zo maak je de zak van Sinterklaas
Knip uit het vilt 4 repen van 75 cm hoog en 26 cm breed en 1 cirkel van 32 cm door-snede. Verstevig deze delen met een of twee lagen plakvlieseline voor een stevig exemplaar. Knip uit linnen 1 lap van 102 cm breed en 105 cm hoog.

Vilten buitenzak
Stik de 4 delen tot een lap van 101 cm breed en 75 cm hoog aan elkaar; laat hierbij de delen elkaar 1 cm over-lappen en verbind ze met een 3-dubbele zigzagsteek. Maak hiervoor het stiksel precies in het midden van de overlappende naden 3x over elkaar, zodat het meer opvalt en stevig is. Sluit hierna de lap tot een ring; maak hiervoor aan de bin-nenkant een stiksel met wit garen en houd rekening met ½ cm naad. Stik de bodem erin; maak vlak langs de kant een 3-dubbel zigzagstiksel met rood garen.

Linnen binnenzak
Vouw de lap dubbel en stik de onderkant en zijkant dicht met 1 cm naad. Werk

de naden met een zigzag-steek af. Keer de zak niet binnenstebuiten. Vouw aan de bovenkant 2 cm stof naar de goede kant om. Stik het stippenband erover-heen vast langs de boven-kant van de zak. Vouw bij de uiteinden van het band een stukje naar binnen en stik beide kanten van het band vast, zodat een tunnel ont-staat. Rijg het koord erdoor. Vouw 27 cm vanaf de boven-kant de stof naar binnen om dubbel en stik 10 cm vanaf de vouwkant vast.

Afwerking
Schuif de binnenzak in de vilten zak en zet ze eventu-eel bij een naad op elkaar vast. Vouw van beide delen aan de bovenkant een rand van ongeveer 10 cm naar buiten.

Poppenkast
Sinterklaas en Zwarte Piet of Jan Klaassen en Katrijn:

deze poppenkast kun je het hele jaar door gebruiken. De poppenkast wordt een-voudig opgehangen tussen de kastdeuren of open-slaande tuindeuren. Bovenaan en halverwege zit een stok in een tunnel, waardoor de poppenkast mooi strak blijft hangen. Voor de inhoud van de kast komt een witte doek te hangen. De grootte van de poppenkast kun je afstem-men op de maten van je kast. Deze is 167x120 cm.

Dit heb je nodig
Stof onderkant: 1.10 m stof met des-sin Cherbourg, 140 cm breed(JAB Anstoetz); stof bovenkant: 0.65 m wolvilt, 1 mm dik, 180 cm breed, in roze nr. 08 (Wernekinck Wolvilt); 1.00 m rode fijne tweedstof Checks & Tweeds, 140 cm breed, achterdoek 0.90 m witte stof Prestige, 140 cm breed (Eijffinger); naaigaren Duet (Coats Benelux); 2 stokken van 140 cm en 1 stok van 120 cm lang; 1.80 m oranje band; meidenkast (Vivre Landelijk Wonen).

Zo maak je de poppenkast
Knip uit het vilt een lap van 65x120 cm (hxb); knip hier-uit een rechthoek van 46x65 cm (hxb) voor de opening. Zorg dat hij in het midden zit. Knip uit de stof met dessin een lap van 107x124 cm (hxb). Knip uit de tweedstof 3 repen van

9x124 cm, 2 lappen van 37x70 cm (= gordijntjes, houd een lange kant van elk gordijntje aan de zelfkant van de stof) en 2 lapjes van 21x23 cm (= voor het kiekeboe-raampje).

Gedessineerde onderkant
Stik in de zijkanten van de lap met dessin een zoom van 1 cm breed met 1 cm inslag. Vouw aan de uiteinden van een reep 2 cm naar achter om. Stik deze reep met 1 cm naad aan de onderkant van de lap. Houd hiervoor de verkeerde kanten op elkaar. Vouw de reep op de naad naar de voorkant van de lap en stik hem met 1 cm inslag vast op de lap, zodat een tunnel ontstaat.
Leg een lapje voor het kiekeboe-raampje op de lap linksonder (goede kanten op elkaar) en stik in het midden van het lapje een rechthoek van 15x17 cm (bxh). Knip de stof binnen de rechthoek weg; denk aan 1 cm naad. Knip de naad bij de hoekjes schuin in. Vouw de tweedstof naar achter. Maak 1 cm vanaf het raampje rondom een stiksel door beide stoflagen. Stik in de lange kanten en een korte kant van het andere lapje een zoom van 1 cm breed met 1 cm inslag. Stik dit gordijntje vlak boven het raampje vast.

Vilten bovenkant
Maak een stiksel langs de zijkanten van de vilten lap. Stik aan de bovenkant van deze lap een reep, zoals aan de onderkant van de lap met dessin. Stik in de gordijntjes in de onafgewerkte zijkant een zoom van 1 cm breed en in de onderkant een zoom van 3 cm breed, beide met 1 cm inslag. Stik de bovenkant van de gordijntjes achter de opening vast; laat ze elkaar in het midden 1 cm overlappen. Knip het band in 2 gelijke stukken. Vouw de bandjes dubbel en speld de vouwkant aan de zijkanten van de opening vast, plaats ze 15 cm vanaf de onderkant. Maak een stiksel langs de hele zijkant van de opening en stik ook de bandjes vast.

In elkaar zetten
Leg de vilten lap op het gedessineerde deel; houd de verkeerde kanten op elkaar. Leg nu de laatste reep met de goede kant op de goede kant van het vilten deel en vouw bij de uiteinden 2 cm stof om naar de verkeerde kant. Stik de delen op elkaar met 1 cm naad, vouw daarna de reep naar voren om en stik met 1 cm inslag vast op het gedessineerde deel. Schuif een lange stok in de boven-

ste tunnel en hang hiermee het doek op de kastdeuren. Sla een klein spijkertje in de bovenkant van de deuren, zodat de stok er niet af kan rollen. Schuif de korte stok in de tweede tunnel, zodat de lap recht blijft hangen. Stik in de witte lap in de bovenkant een tunnel van 5 cm breed en werk de zijkanten en onderkant af. Schuif een lange stok erin en hang de lap vlak tegen de kast op de deuren.

Kersthuisje
Dit fraaie snoephuisje steelt de show op de feesttafel. Je koopt het als bouwpakket, met daarin de basis van speculaas, snoepjes en decoratie, een zakje poedersuiker om glazuur te maken, een spuitzakje en praktische uitleg hoe je te werk moet gaan.

Te koop bij Michel Patisserie-Chocolaterie,

www.michelhaarlem.nl. Leuk om samen te doen met je kind!

Kerstmobile

Grappig voor het raam, in een verloren hoekje óf als cadeautje. De rendieren hangen aan een ijzeren ring die je omwikkelt met zilverdraad. De dieren maak je van vilt. Vergroot het rendier (pagina 187) tot de gewenste grootte (hier 13 cm). Neem ze meerdere keren op het vilt over met carbonpapier. Knip ze uit en maak onder- en bovenin een gaatje met een gaatjestang. Haal door het onderste gaatje een stukje lint, vouw dit om tot een lusje waaraan je een belletje hangt en plak het uiteinde dicht met hobbylijm. Haal bij drie dieren een lang stuk lint door het bovenste gaatje, wikkel een keer om de ring (met twee belletjes eraan) en zet het

vast met een beetje lijm of een steekje. Gebruik het resterende deel van het lint om de ring op te hangen. Hang de overige diertjes met een kort lintje tussen deze drie.

Dit heb je nodig
Wolvilt, 3 mm dik, 180 cm breed, in wit nr. 56 (Wernekinck Wolvilt); zilverkleurig lint en ijzeren ring (Pipoos).

Koekjesboom

Deze kerstboom is met stokvilt gespannen op de muur. Dit materiaal is 6 mm dik en 2 m lang. Het is het mooist om de lange delen met kleine steekjes aan elkaar te zetten. Tip: plak de boom eerst met crêpetape op de wand en draai vervolgens langs de rand een aantal kleine haakjes of oogjes, waar je het stokvilt doorheen rijgt. In de boom hangen koeken in de vorm van dieren, met een rood-wit touwtje.

Dit heb je nodig
Stokvilt (Wernekinck Wolvilt), dierenkoeken (Artis); rood-wit touw (kookwinkel).

> **TIP** Het is ook leuk om hier een adventsboom van te maken met kleine cadeautjes. Voor een wat stoerdere uitstraling kun je ook kiezen voor touw.

Rudolf

Hij is lief, leuk en makkelijk mee te nemen, want hij bestaat uit drie delen die je in en uit elkaar schuift. Ook een geestig kerstcadeau!

Afmetingen 70x50x35 cm (bxhxd)

Dit heb je nodig
Berkenmultiplex, 15 mm dik, mdf, 12 mm dik, van ± 35x40 cm, 3 kruiskopschroeven van 4 mm en 5 cm lang (bouwmarkt); witte acrylverf;

2 grijze knopen van ± 3 cm doorsnede, met 4 gaatjes, rood borduurgaren (Jan de grote Kleinvakman).

Zo maak je Rudolf

Teken de patroondelen (pagina 188) op ware grootte. Neem ze over op het berkenmultiplex en zaag ze met de decoupeerzaag uit. Maak de gaten in de snuit met de speedboor. Maak een achterwandje van mdf. Rond de hoeken bovenaan af en laat de zijkanten in een afgeronde punt aan de onderkant eindigen. Boor aan de bovenkant (de rechte kant) een gat van 24 mm doorsnede met een speedboor. Schilder alle onderdelen wit, maar laat bij de multiplexdelen de randen onbewerkt. Boor voor elk oog 4 kleine gaatjes die qua plek corresponderen met de gaatjes van de knopen. Naai de knopen met een kruissteek en rood borduurgaren op de kop, knoop de uiteinden aan de achterkant vast.
Schuif alle delen in elkaar. Bevestig de kop aan het achterwandje. Zet een verticale middenlijn op de achterkant van het wandje. Boor 3 gaatjes van 4 mm op de middenlijn om de 10 cm. Boor aan de achterkant het gaatje na met een verzink-

boortje. Boor nu ook 3 gaatjes van 3 mm om de 10 cm in de kop, ongeveer 4 cm diep. Bevestig de hertenkop aan het achterwandje met de kruiskopschroeven.

Masker en muts

Teide draagt een muts die lekker warm over de oren zit. Fleur verschuilt zich achter een masker-op-een-stokje van *Rudolf the red nosed reindeer*. De achterkant van het masker is donkergrijs. Beide zijn gemaakt van stevig vilt.

Afmetingen masker
± 25x50 cm, muts voor hoofdomtrek 53 cm

Dit heb je nodig voor het masker

30x60 cm wolvilt, 5 mm dik, in ecru nr. 95 en donkergrijs nr. 39a (Wernekinck Wolvilt); een houten lat 2x40 cm (bxl); rode vilten kraal van 2½ cm doorsnede (De Witte Engel); stevig ijzerdraad; textiellijm.

Zo maak je het masker

Maak met behulp van de schematekening (pagina 187, 1 hokje is 4x4 cm) het masker op ware grootte; vouw het patroon op de stippellijn dubbel. Knip het uit en vouw het papier open, zodat het hele patroon ontstaat. Knip het patroon zonder naad 1x uit ecru en donkergrijs vilt. Knip de ogen uit. Neem 2 stukken ijzerdraad en leg ze op het donkergrijze deel, plaats ze in vorm vanaf 4 cm onder de ogen tot in een cirkel in de geweien. Plaats de lat in het midden op de kop. Lijm nu het ecrukleurige vilten deel erop. Laat het goed drogen; leg er bijvoorbeeld dikke boeken op voor extra druk. Knip de vilten kraal doormidden en plak hem als neus ± 1½ cm vanaf de onderkant op het masker.

Dit heb je nodig voor de muts

55x60 cm wolvilt, 5 mm dik, in ecru nr. 95 (Wernekinck Wolvilt); ecrukleurig naaigaren en stevig dik rood garen of splijtgaren.

Zo maak je de muts

Maak met behulp van de schematekening (pagina 187, 1 hokje is 4x4 cm) het patroon op ware grootte. Vouw het papier op de stippellijn dubbel en knip het

patroon uit, zodat het hele mutsdeel ontstaat. Meet het patroon met het hoofd van het kind na en pas het eventueel aan. Knip het patroon zonder naad uit het vilt. Naai de midden-achterkanten met kleine steekjes en ecrukleurig garen tegen elkaar. Vouw nu de muts dubbel met middenachter op midden-voor. Naai met rood garen de bovenkant dicht; begin en eindig ± 4 cm vanaf de zijkanten.

Engelenjurkje en aureool

Maat 110/116

Dit heb je nodig voor het jurkje

0.70 m wolvilt, 1 mm dik, 180 cm breed, in ecru nr. 91 (Wernekinck Wolvilt); 0.40 m grofgeweven stof met slingermotief Ever, 140 cm breed (Chivasso).

Zo maak je het jurkje

Maak met behulp van de schematekening (pagina 189, 1 hokje is 4x4 cm) de patroondelen voor de jurk op ware grootte. Knip voor de jurk het patroon 2x uit vilt met middenvoor/mid-denachterkant aan stof-vouw, met ½ cm naad aan het armsgat, de zij- en schouderkanten. Knip bij het voorkantdeel de hals volgens het patroon en knip middenvoor vanaf de hals 10 cm in. Knip de rand van het vleugeldeel af. Knip de rand 2x uit dubbel vilt met aan buitenrand en uiteinden ½ cm naad. Knip de binnen-kant vleugel 2x uit dubbele stof met rondom 1 cm naad.

In elkaar zetten

Stik de panden langs de schoudernaden op elkaar. Stik de randdelen op de vleugels. Stik 2x 2 vleugels langs de boven- en onder-kanten tot de tekens met de goede kant buiten op elkaar. Stik de vleugels in de arms-gaten tot het teken; let op de verschillende naadbreed-tes. Stik de zijkanten panden op elkaar met de vleugels ertussen. Stik de vleugels volgens de stippellijnen door voor de mouwen. Stik de onderkant vleugels vanaf dit stiksel langs de rand door.

Dit heb je nodig voor het aureool

20x65 cm wolvilt, 5 mm dik, in ecru nr. 95 (Wernekinck Wolvilt); klitten-band.

Zo maak je het aureool

Maak met behulp van de schematekening (pagina 189, 1 hokje is 4x4 cm) het patroon op ware grootte. Knip het patroon zonder naad 1x uit het vilt. Bevestig klittenband op het korte uiteinde en meet het deel om het hoofd om de plaats van het klittenband op het lange deel te bepalen.

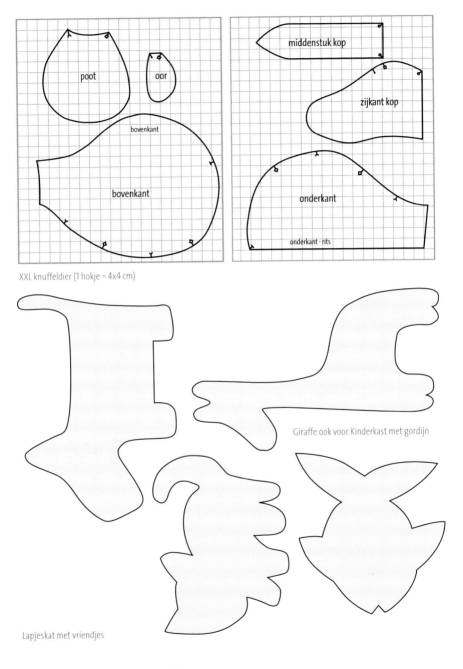

XXL knuffeldier (1 hokje = 4x4 cm)

Giraffe ook voor Kinderkast met gordijn

Lapjeskat met vriendjes

Within the pattern pieces:
poot
oor
bovenkant
bovenkant
middenstuk kop
zijkant kop
onderkant
onderkant · rits

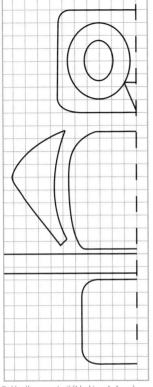

Dekbedhoes met uil (1 hokje = 4x4 cm)

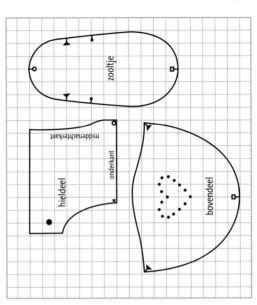

zooltje

middenachterkant

hieldeel

onderkant

bovendeel

Babyslofjes (1 hokje = 1x1 cm)

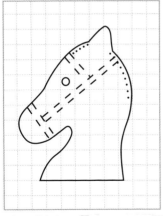

Stokpaard (1 hokje = 4x4 cm)

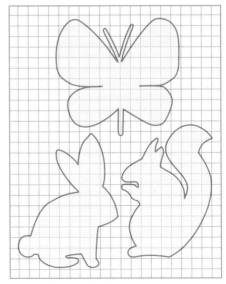

Kinderpoef (1 hokje = 2x2 cm)

Dierenparade op badcape

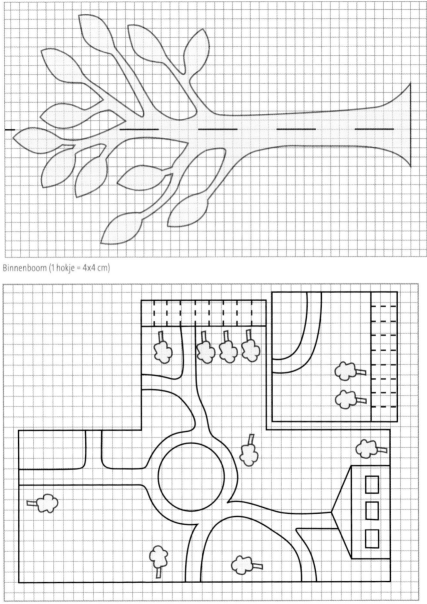

Binnenboom (1 hokje = 4x4 cm)

Racebaan (1 hokje = 4x 4 cm)

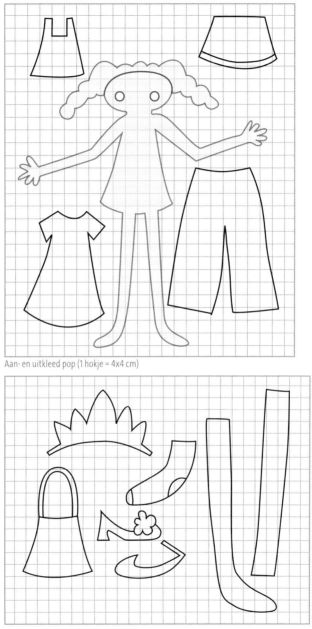

Aan- en uitkleed pop (1 hokje = 4x4 cm)

Aan- en uitkleed pop (1 hokje = 2x2 cm)

XL verkeersborden (1 hokje = 4x4 cm)

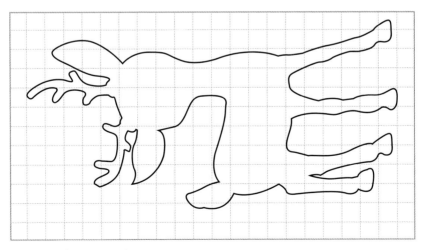

Stippelsilhouet (1 hokje = 4x4 cm)

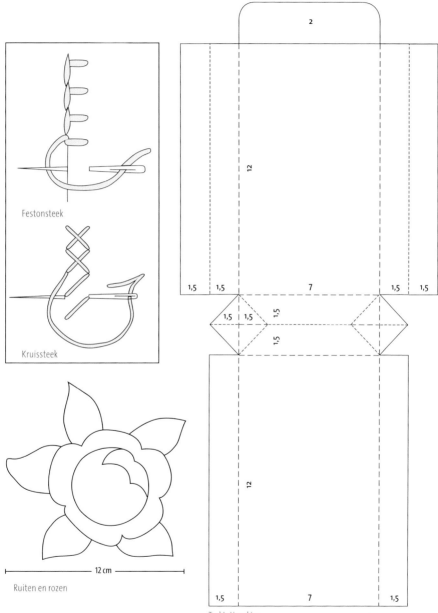

Festonsteek

Kruissteek

12 cm

Ruiten en rozen

2

12

1,5   1,5   7   1,5   1,5

1,5   1,5   1,5

1,5

12

1,5   7   1,5

Traktatiezakjes

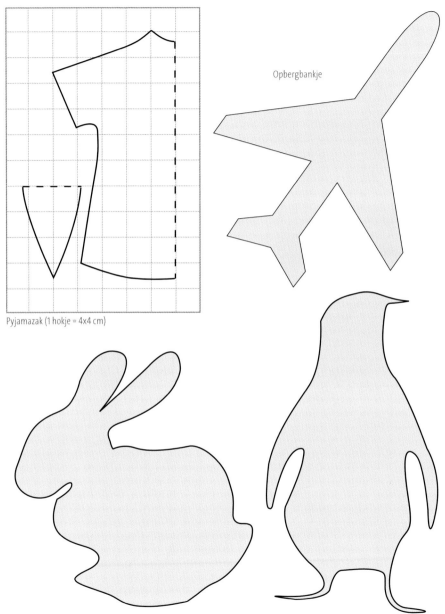

Opbergbankje

Pyjamazak (1 hokje = 4x4 cm)

Opbergmand

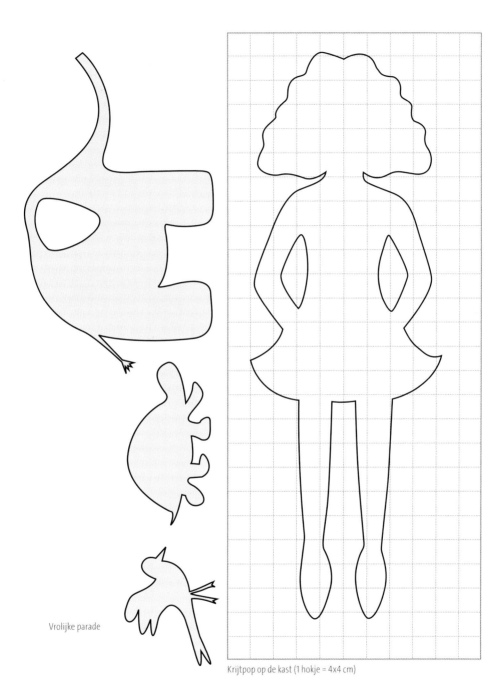

Vrolijke parade

Krijtpop op de kast (1 hokje = 4x4 cm)

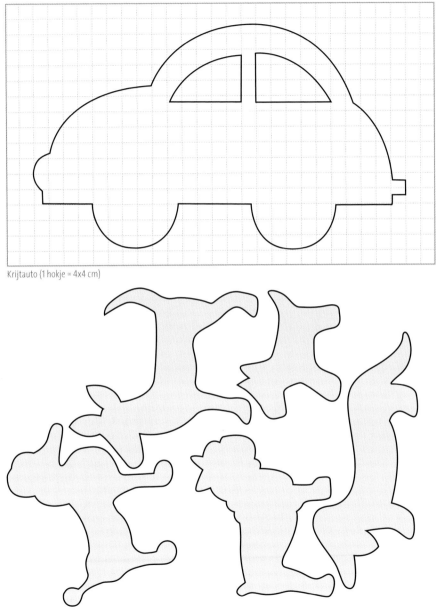

Krijtauto (1 hokje = 4x4 cm)

Magneethondjes

Schilderijtjes met restjes behang

Tekeningen

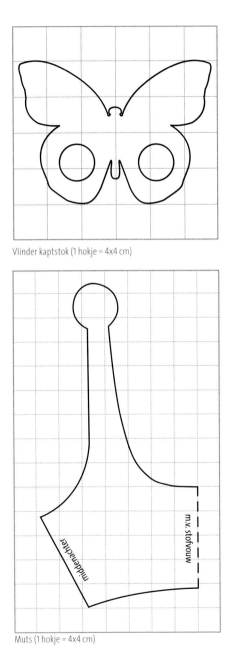

Vlinder kaptstok (1 hokje = 4x4 cm)

Muts (1 hokje = 4x4 cm)

middenachter

m.v. stofvouw

Paasservetten

Kerstmobile

Masker (1 hokje = 4x4 cm)

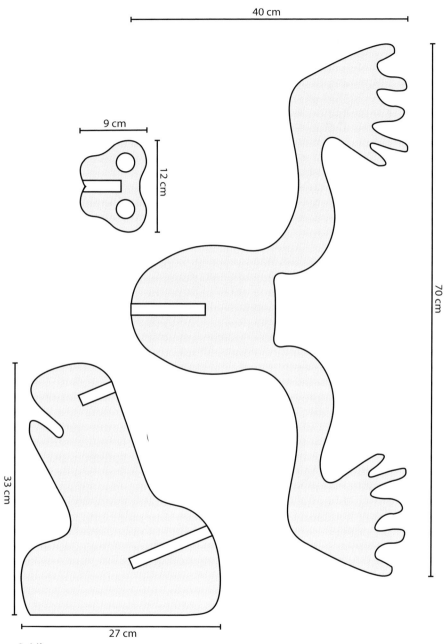

40 cm

9 cm

12 cm

70 cm

33 cm

27 cm

Rudolf

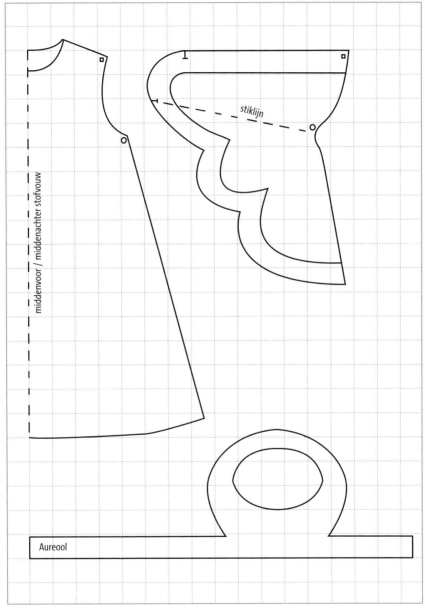

middenvoor / middenachter stofvouw

stiklijn

Aureool

Engelenjurkje en aureool (1 hokje = 4x4 cm)

Verkoopadressen

A

ABC Schuimplastichuis;
Albert Cuypstraat 165, 1073 BC
Amsterdam, 020-664 64 52,
Editiestraat 1, 1312 NG Almere,
036-535 09 48,
www.abc-schuimplastichuis.nl
**A. Boeken VOF Stoffen en
Fournituren;** Nieuwe Hoog-
straat 31, 1011 HD Amsterdam,
020-626 72 05, www.aboeken.nl
Als de kat; 06-551 510 15,
www.alsdekat.nl
Amazona; 035-623 72 50,
www.amazona.nl
Ant. Schröder B.V.; 020-682 26 51,
www.gordijnenmaken.nl
Artis; Plantage Kerklaan 38, 1018 CZ
Amsterdam, www.artis.nl

B

BasicLabel; Gedempte Turfhaven
28, 1621 HE Hoorn, 0229-275 032,
Dubbele buurt 16-18, 1441 CT
Purmerend, 0299-413 316,
www.basiclabel.nl
Béwé Tapijt; 038-477 81 60,
www.bewe.nl
Bonaparte Tapijt B.V.;
013-530 99 00,
www.bonapartetapijt.nl

C

Canvassite.nl; 0512-751 010,
www.canvassite.nl
Chivasso; 079-360 11 11,
www.chivasso.com
Christian Fischbacher;
020-647 22 66, www.fischbacher.ch
Coats Benelux; 0346-353 700, voor
Belgë: 054-318 989

D

De Boerenbonthal;
A. Cuypstraat 188, 1072 CT
Amsterdam, 020-671 00 87,
www.deboerenbonthal.nl
De Bonte Kamer;
www.debontekamer.nl
De Emaillekeizer;
1e Sweelinckstraat 15, 1073 CL
Amsterdam, 020-664 18 47,
www.emaillekeizer.nl
De Ru Amsterdam;
Van Woustraat 145, 1074 AJ
Amsterdam, 020-662 68 21,
www.deruverfenbehang.nl
De Witte Engel; Binnenburg 15,
1791 GG Den Burg (Texel),
0222-310 387, www.witteengel.nl
Dille & Kamille; 010-522 07 57,
www.dille-kamille.com
D'imago via DMG; 033-434 13 90,
www.dimago.nl
Duller & Co; Van Oldenbarneveldt-
straat 82, 1052 KG Amsterdam,
020-684 23 32,
www.dullerenco.nl

E

Eijffinger B.V., Gebr.;
079-344 12 00, www.eijffinger.com

F

**Flexa via Akzo Nobel Coatings
B.V.;** 071-308 23 44, www.flexa.nl
Forbo Novilon; 075-647 74 77,
www.novilon.nl

G

Gamma; 033-434 86 05,
www.gammabouwmarkt.nl

H

Hammerite; 073-599 93 05,
www.hammerite.nl
Havenloods23; De Amstel 14-16,
8253 PC Dronten, 0321-382 631,
www.havenloods23.nl
Hema B.V.; 020-311 44 11,
www.hema.nl
Hermadix; 020-653 41 25,
www.hermadix.nl
Het Grote Avontuur;
Haarlemmerstraat 25, 1013 EJ
Amsterdam, 020-626 85 97,
www.hetgroteavontuur.nl
Histor via Sigma Coatings B.V.;
0800-447 867 83 73, www.histor.nl

I

Ikea Nederland B.V.;
0900-235 45 32 (€ 0,10 p.m.),
www.ikea.nl
Inke; 071-542 33 99, www.inke.nl
Interfloor; 038-386 62 22,
www.interfloor.nl

J

JAB Anstoetz; 079-360 11 90
Jan de grote Kleinvakman;
A. Cuypstraat 203a, 1073 BE
Amsterdam, 020-673 82 47
't Japanse Winkeltje; Nieuwezijds
Voorburgwal 177, 1012 RK
Amsterdam, 020-627 95 23,
www.japansewinkeltje.nl

K

KA International; Frederik-
straat 501, 2514 LN Den Haag, 070-
346 77 22, www.ka-international.nl

Kars; 0344-642 864, www.kars.nl
Karwei via Intergamma;
033-434 81 11, www.karwei.nl
Kids Factory; Ookmeerweg 404,
1069 CB Amsterdam, 020-610 24 90,
Ettensebaan 17a, 4812 XA Breda,
076-521 06 95, www.kidsfactory.nl
**Kinderatelier Naar bed, naar
bed...;** Hoge Ham 111, 4104 JC
Dongen, 0162-387 999,
www.naarbednaarbed.nl
Klamboe Unlimited; Prinsen-
gracht 232, 1016 HE Amsterdam,
020-622 94 92, www.klamboe.com

L

Laura Dols; Wolvenstraat 7,
1016 EM Amsterdam,
020-624 90 66, www.lauradols.nl

M

MagPaint Europe BV;
0315-386 473, www.magneetverf.nl
Marabu;
www.marabu-creative.com
Michel Patisserie-Chocolaterie;
Grote Houtstraat 173, 2011 SM
Haarlem, 023-531 11 04,
www.michelhaarlem.nl

N

Nijhof Woonwarenhuis;
035-548 61 11, www.nijhofbaarn.nl

P

**Painting the Past via Paint &
Decorating Service;** 0475-335 632,
www.paintingthepast.nl

Pakhuis Oost; Surinamekade 24,
1019 BV Amsterdam,
www.pakhuisoost.nl
Phildar; 013-505 29 61
Phoenix Verffabriek B.V.;
035-525 17 49, www.phoenix.nl
Pipoos; 073-513 19 99,
www.pipoos.nl
Praxis; 020-398 33 33,
www.praxis.nl
Prénatal; 036-549 30 60,
www.prenatal.nl

R

Rice Holland; 020-560 69 95,
www.rice.dk

S

Saima Fashion; Alb. Cuypstraat
46-48, 1072 CV Amsterdam,
020-671 32 35
Studio Haikje; www.haikje.nl

T

Talens B.V., Koninklijke;
055-527 47 00, www.talens.com
Texdecor; 020-504 29 06,
www.texdecor.com
Timzowood; 06-551 116 49,
www.timzowood.nl,
www.timzowood.be
**Tretford Hollandse Tapijt
Industrie B.V.;** 0315-659 222,
www.tretford.nl

V

Van Beek Art Supplies;
Stadhouderskade 63-65, 1072 AD
Amsterdam, 020-662 16 70,
www.vanbeekart.nl
Van de Kerkhof; Wolvenstraat 9-11,
1016 EM Amsterdam, 020-623 40 84
Vivre Landelijk Wonen;
Lange Hezelstraat 71, 6511 CD
Nijmegen, 024-323 82 57,
www.vivre-landelijkwonen.nl
Vlieger B.V.; Amstel 34, 1017 AB
Amsterdam, 020-623 58 34,
www.vliegerpapier.nl
Voca; 035-526 44 42, www.voca.nl

W

Wagenaar van Co; Genieweg 14A,
1981 LN Velsen-Zuid, 023-549 36 23,
www.wagenaarvanco.nl
Wehkamp; www.wehkamp.nl
Wernekinck Wolvilt; 015-214 63 41
What's Cooking; Reestraat 16,
1016 DN Amsterdam, 020-427 06 30,
www.whatscooking.nl
**Wilhelmine van Aerssen
Agenturen B.V.;** 020-640 50 60,
www.wva.nl

ariadne
at Home

waar wonen genieten is